Les clés de la peinture

Sandro Botticelli,
Tondo : L'Adoration des mages, vers 1470-1475

Agnolo Bronzino, *Allégorie avec Vénus et Cupidon*, vers 1545

Vénus et Cupidon
de Bronzino

Vénus et Cupidon
de Bronzino avec
des repeints

Tintoret, *Saint Georges et le dragon*, vers 1560
Composition en diagonale
du Tintoret

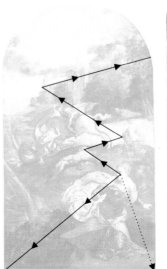

Paul Cézanne,
La Montagne Sainte-Victoire, 1904-1906

Les clés de la peinture

par
Jude Welton en association avec la National Gallery, Londres
Traduction et adaptation de Patrice Bachelard et Pascal Bonafoux

Nicholas Hilliard,
Alice Hilliard, 1578

Giovanni del Ponte, *L'Ange
Gabriel*, début du XVe siècle

Alessio Baldovinetti, *Portrait d'une dame en jaune*, vers 1465

École de Fra Angelico,
L'Enlèvement d'Hélène, vers 1450

GALLIMARD

Le Corrège, *Jupiter et Io*, vers 1530

Duccio de Buoninsegna, *Vierge à l'Enfant*, vers 1315

Détail de *la Vierge à l'Enfant* de Duccio de Buoninsegna

Tiepolo, *Allégorie avec Vénus et le Temps*, 1758

Gustave Courbet, *L'Enterrement à Ornans*, 1849-1850

Pour David

Direction éditoriale et artistique

Responsables éditoriaux :
Phil Hunt, Peter Jones,
Gwen Edmonds et Sean Moore
Directeurs artistiques :
Mark Johnson Davies et Toni Kay

Maquettiste : Simon Murrell
Maquettiste PAO : Zirrinia Austin
Responsable de la fabrication :
Meryl Silbert
Iconographes : Julia Harris-Voss et Jo Evans

Édition originale parue sous le titre :
Eyewitness Art Guide "Looking at paintings"
Copyright © 1994 Dorling Kindersley Limited, Londres
Copyright pour le texte © 1994 Jude Welton

Pour l'édition française :
ISBN 2-07-058474-7
Copyright © 1994 Éditions Gallimard, Paris
« Loi n° 49-956 du 16 juillet 1949
sur les publications destinées à la jeunesse »

Dépôt légal : septembre 1994
Numéro d'édition : 68109

Imprimé en Italie par
Arnoldo Mondadori Editore, Vérone

Détail du *Château
de Steen* de Rubens

Pierre Paul Rubens,
Le Château de Steen, 1636

SOMMAIRE

J. M. W. Turner, *Navire approchant de la côte*, vers 1835-1840

Lorsqu'on regarde une peinture, un dialogue silencieux s'établit entre le tableau et le spectateur. Si l'imagination et le goût personnel de celui-ci modèlent pour une part sa vision de l'œuvre, c'est en la regardant longuement, avec une attention soutenue, qu'il en saisira le sens profond. Pourtant, il est parfois difficile de déchiffrer le langage visuel de l'artiste : le contexte historique et culturel creuse une distance qui peut nous rendre le sujet étranger, ou même nous empêcher de le comprendre. Il convient alors de se poser certaines questions pour guider notre approche – sur le sujet, la composition, la couleur, ou le style, mais aussi sur l'artiste, l'époque à laquelle il peignait, et ses motivations –, ainsi nous disposerons de nouvelles clefs pour aborder l'œuvre. Une œuvre qui demeure une énigme.

LE RETABLE MONTEFELTRO

Piero della Francesca, huile sur panneau,
248 x 170 cm, 1472-1474

Il existe peu de peintures, dans toute l'histoire de l'art, qui aient été autant étudiées et soient restées aussi mystérieuses. Le « donateur » qui commanda la peinture, Federico da Montefeltro, y figure aux côtés de la Vierge et l'Enfant, des saints et des anges, à l'intérieur d'une église. Les personnages occupent toute la largeur de la toile ; l'immobilité de leur pose, leurs yeux baissés, leurs regards qui ne se croisent pas, ajoutent à la solennité de la scène, renforcée par l'équilibre géométrique de la composition.

Questions sur la peinture

Toute une série de questions surgissent devant un tableau ; en voici quelques-unes : qui l'a peint, quand et pourquoi ? Que représente-t-il ? Pourquoi l'artiste a-t-il choisi un tel sujet, et comment l'a-t-il interprété ?

De quel style s'agit-il ? Est-ce réaliste ? Comment s'organise la composition ? Quelles sont les couleurs ? Sont-elles vives, ou au contraire éteintes ? Quelle sorte de peinture a été utilisée ? Quel est le support ? Le tableau me plaît-il ? Est-ce que je l'aime ?

Espace pictural

De nombreux tableaux cherchent à créer l'illusion d'un espace réel, à trois dimensions, se développant au-delà de la surface plane de la peinture. Grâce à la perspective, l'artiste rendra le rapetissement des objets éloignés et l'effet de distance, au travers de lignes parallèles convergentes. On voit ici, à gauche, un schéma de l'espace imaginaire de la peinture – en relation avec la place du spectateur.

L'art de la perspective permet à Piero de créer une illusion optique qui réduit la longue nef de l'église. Les personnages s'en trouvent grandis.

La surface picturale est comme une « fenêtre » au travers de laquelle le spectateur contemple l'espace imaginaire de la peinture.

Œuf

Nef

Vierge

Piédestal

Espace pictural

Surface picturale

Espace réel

Spectateur

L'œuf mystérieux

Les tableaux contiennent souvent des symboles. Ici, la présence de cet œuf est une énigme. Sa forme est reprise par l'ovale de la tête de la Vierge encadrée par les autres personnages. De tels rapports formels ne sont pas un hasard : l'œuf est un symbole de naissance et de création, ce que personnifie l'Enfant Jésus. Cet œuf d'autruche, que la tradition associe à la naissance miraculeuse de la Vierge, renvoie peut-être encore à la naissance « miraculeuse » du fils du donateur.

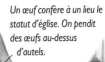

Un œuf confère à un lieu le statut d'église. On pend des œufs au-dessus d'autels.

Reconnaître les saints

Saint Pierre martyr est ici présenté dans une robe de moine, la blessure de sa tête bien visible (parfois une hache ou un poignard est planté dans son crâne).

Détails inachevés

Saint François tient délicatement un crucifix incrusté de joyaux et écarte un pan de son vêtement pour révéler l'un de ses stigmates (marques qui correspondent aux blessures du Christ). La peinture est appliquée avec légèreté, signe de l'inachèvement du tableau.

Un peintre a enlevé un bijou semblable que Piero avait peint sur la coiffure de la Vierge.

Reflets lumineux dans le médaillon de cristal

Le stigmate apparaît sous la bure.

Couleur et détails

Les altérations du temps modifient l'aspect du tableau. La lumière argentée qui baigne la scène n'est réapparue qu'au cours des années 1980, après qu'on eut nettoyé le tableau et fait disparaître la tonalité générale dorée, due au vieillissement du vernis. Un raffinement : le corps de l'ange transparaît sous un tissu diaphane.

Cet enfant peut désigner à la fois Jésus et le fils de Federico.

Naissance et mort

En représentant l'Enfant Jésus sur les genoux de sa mère, les artistes de la Renaissance savaient que leurs contemporains ne pouvaient manquer d'associer la scène à une autre tout aussi familière, la *Pietà*, qui présente la Vierge pleurant sur le corps de son fils mort. Cet effet de superposition de la naissance et de la mort est ici particulièrement appuyé, puisque Federico semble avoir commandé cette œuvre pour commémorer à la fois la naissance de son fils unique et la mort de sa femme adorée.

Battista Sforza et Federico da Montefeltro

Piero della Francesca, tempera sur panneau, diptyque, 47 x 33 cm (les deux panneaux sont encadrés ensemble), vers 1460-1466

Dans *Le Retable Montefeltro*, Federico apparaît en armure, pour protéger l'Église. Ici, il est en habit de cour, en face de sa femme. Si Battista n'apparaît pas dans le retable, elle en est l'inspiratrice : après avoir eu huit filles, elle avait fait le vœu de renoncer à la vie si elle portait un garçon. Son fils, Guidobaldo, naquit en janvier 1472 et elle mourut de pneumonie en juillet de la même année.

Toutes les peintures reproduites sur ces pages semblent avoir approximativement les mêmes dimensions ; pourtant, leur taille varie autant que leur forme. *L'Enterrement à Ornans,* de Gustave Courbet, est en réalité 5 000 fois plus grand que le portrait miniature de Nicholas Hilliard qui se trouve au-dessous. Quand on regarde une peinture dans un musée, ou dans le lieu pour lequel elle a été conçue, sa taille produit immédiatement un certain effet sur nous. Cet effet, et bien d'autres, disparaît lorsque nous avons affaire à des reproductions photographiques : rien ne peut remplacer l'expérience de la découverte d'une œuvre d'art originale. La forme du tableau est aussi immédiatement perceptible. Ces formes varient considérablement selon le contexte, le but recherché, ou tout simplement le goût. Le rectangle est parmi les plus courantes, utilisé verticalement pour les portraits, et horizontalement pour les paysages. Ces deux exemples indiquent que le choix des formats rend souvent compte de la réalité : verticalité de la figure humaine par opposition au paysage qui se développe sur la ligne d'horizon et que notre œil suit d'un côté à l'autre. Même dans le choix d'un rectangle, le format exige des proportions qui déterminent le contenu et la composition.

L'Ange Gabriel
Giovanni del Ponte,
42,5 x 24 cm,
début du XVe siècle
Pendant des siècles, la plupart des peintures européennes étaient destinées à des fins religieuses qui s'exprimaient au travers de leur forme et de leur taille autant que par leur imagerie. On construisait de nombreux tableaux d'autel composés de plusieurs panneaux – comme celui représenté ici – dont la taille impressionnante et la réalisation raffinée reflétaient à la fois la gloire de Dieu et le pouvoir de l'Église.

Le cadre d'origine
a été redoré.

Ici, la peinture et son cadre sont indissociables.

Les arcades semi-circulaires reprennent la forme du *tondo.*

Tondo : L'Adoration des mages
Sandro Botticelli, tempera à l'œuf sur peuplier, diam : 131,5 cm,
vers 1470-1475
Ce type de tableau rond, qu'on appelle aussi un *tondo*, était très prisé parmi les artistes italiens du XVe siècle, qui y trouvaient l'occasion de mettre à l'épreuve leur art de la composition. Botticelli a construit celui-ci par un réseau de lignes convergentes qui attirent le regard vers le centre de la peinture, vers la Vierge et l'Enfant. Malgré la taille du groupe, réduite pour respecter les règles de la perspective, sa majesté est soulignée par sa position centrale.

Les formes architecturales guident l'œil vers le centre de la composition.

Les visiteurs du Salon l'ont interprété comme une « glorification de la vulgarité » et ont considéré Courbet comme un socialiste révolutionnaire.

L'Enterrement à Ornans

Gustave Courbet, huile sur toile, 315 x 668 cm, 1849-1850
Les dimensions et les proportions sont des signes révélateurs du statut d'une peinture (p. 28-29). Cette toile immense, qui rassemble plus de cinquante personnages grandeur nature, provoqua un scandale lors de sa première exposition au Salon, à Paris, en 1850. Elle met en scène un épisode de la vie rurale dans des dimensions réservées jusque-là à la peinture historique, et fait des personnages des héros.

Ipomée avec du noir (Pétunia noir et ipomée blanche III)

Georgia O'Keeffe, huile sur toile, 91,5 x 76 cm, 1926

O'Keeffe adopta pour représenter les fleurs associées à la féminité un format hors d'échelle qui leur conférait la puissance de la monumentalité.

Alice Hilliard

Nicholas Hilliard, aquarelle sur vélin contrecollé sur carton, diam : 6 cm (reproduit à la taille réelle), 1578
À la différence de Courbet, dont l'œuvre est conçue pour un large public, ce petit portrait était destiné à un regard plus intime. Si la taille des personnages de *L'Enterrement* de Courbet détermine leur statut, l'extrême minutie de ce travail, son raffinement incomparable, en font l'équivalent d'un bijou.

Pour élaborer son œuvre picturale – qu'elle soit figurative (à savoir qu'on y reconnaisse des éléments du monde réel) ou abstraite –, l'artiste doit diviser la surface peinte et mettre en place les divers éléments qui la composent. Même s'il ne s'agit, à la base, que d'un simple dessin attrayant, sa composition peut accentuer l'effet qu'il cherche à produire chez celui qui regarde son œuvre. Une peinture qui obéit aux principes de la symétrie – répartissant également les éléments qui la composent – donnera un sentiment de quiétude, de tranquillité, d'harmonie, et plus particulièrement avec les œuvres de grandes dimensions, de noblesse. En revanche, les compositions décalées et asymétriques pourront intensifier un effet dramatique, créer un malaise ou susciter l'impression du mouvement. Enfin, c'est la composition qui met en scène un récit, en guidant le regard dans sa « lecture » de l'épisode représenté.

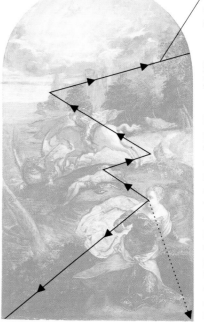

Les diagonales guident le regard à l'intérieur de l'œuvre et renvoient vers le spectateur.

Joachim chassé du Temple
Giotto, fresque, 183 x 183 cm, vers 1303-1306
Dans cette fresque qui ouvre le cycle narratif de la chapelle Scrovegni de Padoue, la composition souligne le drame relaté dans l'épisode biblique : âgé et sans descendance, Joachim est chassé du Temple.

À l'intérieur du Temple, un homme reçoit la bénédiction alors que Joachim, l'agneau sacrificiel dans les bras, semble au bord du gouffre. Le bleu qui l'entoure accuse son isolement.

Ligne brisée
La peinture de Tintoret est traversée de diagonales contradictoires qui guident le regard du spectateur vers les points névralgiques du drame : de la jeune femme qui s'enfuit, à droite, à la dernière victime du dragon, et de la figure dynamique de saint Georges aux murailles de la ville, dressées dans le lointain.

Saint Georges et le dragon
Tintoret, huile sur toile, 152,5 x 100,5 cm, vers 1560
La jeune femme représentée ici par Tintoret semble se précipiter vers le spectateur. Malgré son mouvement de torsion et le regard qu'elle jette, par-dessus son épaule, vers saint Georges qui terrasse le dragon – symbole de la chrétienté victorieuse du paganisme –, sa main tendue surgit de l'espace pictural comme pour atteindre l'espace réel. Le mouvement de son corps et de sa draperie rouge est la quintessence de cette composition toute en lignes brisées.

L'Embarquement de la reine de Saba
Claude Lorrain, huile sur toile, 148,5 x 193,5 cm, 1648
Certains artistes affectionnent un type particulier de composition et le réutilisent plusieurs fois. Ainsi, Claude Lorrain peignit de nombreux paysages idéalisés, ou des marines comme celle-ci, encadrés d'arbres ou de monuments, et laissant le regard s'enfoncer vers l'horizon lointain et lumineux. Ce genre de composition inspira beaucoup Turner (p. 17).

La Mort de Marat
Jacques Louis David, huile sur toile, 165 x 128,5 cm, 1793
On ne peut éprouver la puissance prodigieuse de cette œuvre qu'en étant face à la toile. Elle représente le martyre de Marat, héros de la Révolution française assassiné dans sa baignoire par Charlotte Corday, et qui tient encore à la main la lettre par laquelle elle demandait à être reçue. David a supprimé tous les détails inutiles. La moitié supérieure de la toile est vide : toute l'attention est concentrée sur Marat lui-même. La plume qu'il tient dans sa main droite, qui se trouve pratiquement au milieu de la toile, est le signe de son inlassable travail au service du peuple. Son corps, qui se détache sur le mur du fond, rappelle délibérément les images du Christ mort ; son turban imbibé de vinaigre, allusion à la maladie de peau dont il souffrait, lui confère l'allure et la noblesse d'un héros classique.

Le Bac de Haneda et le sanctuaire de Benten
Hiroshige, gravure sur bois en couleurs, 1858 (à droite)
L'art de l'estampe japonaise révèle un sens de la composition très différent de celui des artistes occidentaux. Cette gravure l'illustre plus qu'aucune autre. L'artiste a choisi un point de vue inattendu : il semble s'être placé au pied du passeur. La jambe poilue et le gouvernail qu'il tient encadrent la vue de la baie d'Edo. Les aplats de couleur, combinés aux lignes stylisées, rehaussent la dimension décorative. En coupant la figure du passeur au niveau du cadre, l'artiste a donné à sa composition une grande originalité.

Bleu et argent – paravent avec le vieux pont de Battersea
James McNeill Whistler, détrempe et or sur papier brun maroufté sur toile, 195 x 182 cm, 1871-1872
Whistler est l'un des nombreux artistes du XIXᵉ siècle influencés par les modes de composition des estampes japonaises. Les lignes du pont sont suggérées et ponctuent les variations subtiles des couleurs qui évoquent l'eau et le ciel. En traversant les deux panneaux du paravent, la courbe du pont en accentue la planéité. Cette disposition asymétrique est typique de l'inspiration japonaise. Le panneau de droite, presque vide, n'est marqué que par le cercle doré de la lune que barre le pont.

Le choix des couleurs est d'une importance fondamentale. L'artiste peut les utiliser d'une manière descriptive – en reprenant les couleurs telles qu'elles se présentent à ses yeux – ou ne tenir aucun compte de la réalité. La couleur joue les rôles les plus divers. Elle est capable de mettre en lumière le volume d'une forme, ou n'être que décorative, ou encore exprimer une émotion ou traduire une ambiance. Elle a aussi parfois un sens symbolique : la Vierge Marie, par exemple, est traditionnellement représentée vêtue de bleu, couleur du ciel dont elle est la reine. La couleur est encore l'un des éléments qui permettent à l'artiste de donner l'illusion de l'espace. La variété des teintes et leur combinaison ont un effet déterminant sur le style de la peinture. Les couleurs seront nombreuses ou réduites, harmonieuses ou dissonantes, assemblées en camaïeux quasi monochromes ou juxtaposées en contrastes violents.

Les contours de cette draperie rose gonflée par le vent forment la pointe d'un triangle visuel qui donne à la composition sa stabilité et sa dynamique.

Liens de couleurs

Bacchus vient de lancer dans le ciel la couronne d'Ariane, qui y forme une constellation. Le dieu est drapé dans un splendide manteau rose qui répond à l'écharpe rouge d'Ariane. Ce lien coloré symbolise leur relation émotionnelle.

LA COULEUR ET LA SCIENCE

Des tout premiers pigments naturels aux multiples colorants chimiques contemporains, la couleur écrit par elle-même une véritable histoire de la création scientifique.

La torsion du corps d'Ariane est accentuée par les plis souples de sa robe bleue et de son écharpe rouge. L'éclat de la tunique blanche renforce cet effet.

Audace et subtilité

Titien utilise des contrastes de couleurs les plus audacieux, juxtaposant tantôt des teintes éloignées comme un bleu profond et un rouge éclatant, tantôt des teintes voisines, comme l'outremer de la robe d'Ariane et le bleu-vert de la mer. Il utilise le même outremer pour la jupe portée par la jeune joueuse de cymbales dont la pose rappelle celle d'Ariane, pour rééquilibrer sa toile.

Lapis-lazuli

Détail du ciel

Orpiment

Vase d'or

Lapis et orpiment

La profondeur du bleu et du jaune provient de pigments extraits de minéraux. Le lapis-lazuli était, et demeure, un minéral rare. Jusqu'à la fin du XIXᵉ siècle, on ne le trouvait qu'en Afghanistan.

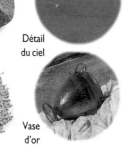

BACCHUS ET ARIANE

Titien, huile sur toile, 175 x 190,5 cm, 1520-1523

Ici, Bacchus, dieu de la vigne, rencontre Ariane, sa future femme. L'intensité des bleus utilisés est frappante. Extrait du lapis-lazuli, le bleu outremer était très rare, difficile à produire et plus cher que l'or. Il donne ici un effet dramaturgique. Le regard qu'échangent Bacchus et Ariane traverse le bleu d'un ciel nuageux ; le rouge et le rose de leurs robes tranchent sur celui-ci. Sous la diagonale que ce regard dessine, les bruns-rouges et les verts dominent.

Paysage jaune, Pont-Aven

Roderic O'Connor,
67,5 x 92 cm, 1892
O'Connor a joué de contrastes éclatants particulièrement intenses de bandes alternées de couleurs lorsque les couleurs « complémentaires » sont proches l'une de l'autre. En peinture, les principales paires de couleurs complémentaires sont le rouge/vert, le violet/jaune et le bleu/orange ; leur intensité est accentuée lorsqu'elles sont placées côte à côte.

Mêlées les unes aux autres, les teintes donnent des gris.

Jeune Femme au chat noir

Gwen John, 45,5 x 29,5 cm,
vers 1920-1925
Des artistes comme O'Connor (ci-dessus) ou Bell (à droite) usent des effets les plus colorés pour composer leurs toiles, tandis que Gwen John préfère les harmonies subtiles et douces basées sur des variations de teintes voisines et non pas contrastées. Cette palette épouse parfaitement le choix du sujet, serein et domestique. De la robe grise de la jeune femme au chat noir posé sur ses genoux, du fauteuil mauve, aux murs du fond gris-brun, le regard reste dans un univers tonal aux valeurs proches.

Madame St. John Hutchinson

Vanessa Bell, huile sur panneau,
73,5 x 58 cm, 1915
L'une des évolutions les plus significatives du début du XXe siècle réside dans le fait qu'un grand nombre d'artistes renoncèrent à se servir de la couleur pour traduire la « réalité ». La couleur devait être utilisée pour elle-même et non plus pour sa signification réaliste. Ici, la disposition des teintes éclatantes joue un rôle aussi décisif que la ressemblance. Le modèle, en tant que tel, n'a désormais plus d'importance.

Les roses du visage, rehaussés par la teinte arbitrairement bleue du blanc des yeux, sont identiques à ceux du fond.

Ombres mauves

Au lieu d'ombrer ce visage de manière traditionnelle, Bell a créé une ombre en rapprochant le mauve et le jaune.

Aleph

Morris Louis, acrylique sur toile,
236 x 264 cm, 1960
Au travers de ses œuvres abstraites, Morris Louis cherche à illustrer les effets produits par la couleur pure qui « teint » plus qu'elle ne « peint ». Laissant couler sur sa toile gigantesque la peinture acrylique diluée, Louis organise peu à peu sa luminosité. En se recouvrant peu à peu par des variations subtiles, le bleu, le jaune, l'orange, le rouge et le vert forment une masse sombre.

Le peintre a creusé la joue d'une tache verte.

En observant attentivement deux tableaux aussi dissemblables que celui de Piet Mondrian – simple disposition de lignes et de couleurs sans aucun sujet identifiable – et celui de Nicolas Poussin – mise en scène détaillée d'un épisode biblique –, on constate que les mêmes moyens artistiques sont mis en œuvre : la couleur et la composition. Si l'organisation rigoureuse de la surface picturale est plus immédiatement évidente dans la *Composition avec rouge, jaune et bleu* que dans *L'Adoration du Veau d'or* – peint trois siècles plus tôt –, les mêmes qualités d'ordre et d'équilibre sous-tendent les deux œuvres. Couleur et composition sont étroitement mêlées dans toutes les peintures : le *Bacchus et Ariane* (p.12) de Titien, par exemple, s'ouvre, en haut et à gauche de la toile, sur un espace bleu intense dont l'aspect « vide » rééquilibre l'autre partie du tableau foisonnant de personnages et de multiples détails. Les artistes présentés ici ont élaboré leurs images et distribué leurs couleurs en fonction d'une trame géométrique afin de créer une impression d'équilibre et d'harmonie à l'image de la rigueur de leur pensée esthétique.

Outils
Pendant des siècles les artistes se sont servis des mêmes outils pour tracer les lignes principales de leurs compositions avant de commencer à peindre. Au croisement des lignes horizontales et verticales se situait, selon Mondrian, un point d'« équilibre absolu ».

Fusain

Règle

Échiquier
Malgré la complexité des idées métaphysiques qui sous-tendent son œuvre, Mondrian a délibérément choisi les moyens d'expression les plus simples. Le système utilisé est fondé sur un rythme de huit carrés pareils à ceux de l'échiquier.

Précision de la composition
La trame subtilement irrégulière de l'œuvre se révèle lorsqu'on la recouvre d'une grille de huit lignes horizontales et verticales.

La largeur de ces lignes et leurs espacements varient. Mondrian a accordé les relations entre lignes et couleurs. Seul le carré rouge est bordé de quatre lignes noires de largeur égale.

COMPOSITION AVEC ROUGE, JAUNE ET BLEU
Piet Mondrian, 69 x 72 cm, vers 1937
Le titre de cette œuvre est significatif : il s'agit de composition et de couleur. Mondrian a, dans cette toile, rejeté toute référence au monde réel. Limitant son vocabulaire aux éléments fondamentaux – les lignes droites et les couleurs primaires, bleu, rouge et jaune – et au noir et blanc, il a voulu créer une peinture pure capable d'exprimer des vérités universelles.

L'ADORATION DU VEAU D'OR

Nicolas Poussin, 154,5 x 214,5 cm, vers 1636-1637

Au cours de cet épisode biblique, Moïse redescend du Sinaï, où il a reçu les Dix Commandements écrits sur les Tables de la Loi, et découvre les juifs adorant une idole : un veau d'or construit par son frère Aaron. Poussin a structuré sa composition de manière à rendre le récit clairement déchiffrable tout en mettant l'accent sur la qualité morale de son sujet. Les personnages isolés et les groupes sont disposés suivant une grille géométrique précise (à droite) ; les gestes sont éloquents et les couleurs peu nombreuses et équilibrées pour mettre en évidence l'enjeu de l'épisode représenté.

Équilibre et unité

Poussin a limité sa gamme de couleurs aux plus importantes (le rouge, le bleu et l'orange) pour accentuer l'équilibre et l'unité de l'ensemble. Les personnages du premier plan forment deux groupes distincts, différenciés par leurs attitudes mais réunis par la combinaison des teintes des vêtements qu'ils portent.

Des figures levant les bras annoncent l'arrivée du prophète.

Clarté géométrique

La structure géométrique sous-jacente de cette composition apparaît clairement : une ligne horizontale passant par l'autel et la main tendue d'Aaron – qui coupe la ligne verticale du piédestal – divise la toile et le récit en quatre espaces principaux. Dans le quart supérieur gauche, Moïse et Josué,

réunis dans le même espace que le Veau d'or, descendent de la montagne. En dessous, les idolâtres dansent, sans prêter attention au retour de Moïse. Face à eux, d'autres personnages rendent grâce au Veau en formant un groupe triangulaire qui renforce encore les diagonales qui ordonnancent la toile .

Comme dans le monde réel, les formes et les surfaces des objets peints nous apparaissent grâce au jeu de l'ombre et de la lumière. Ces objets représentés sur une surface parfaitement plate peuvent être traités avec un tel réalisme qu'ils sembleront en trois dimensions. Les artistes utilisent des moyens, devenus conventionnels, comme la perspective linéaire et aérienne, pour traduire la perception de la réalité. La perspective s'accorde à l'illusion optique selon laquelle la taille des objets diminue à mesure qu'ils s'éloignent tandis que les parallèles semblent converger vers un seul point. La seconde simule le phénomène atmosphérique selon lequel la distance rend les objets plus pâles et les bleuit. L'organisation des différents espaces, du premier plan jusqu'à l'horizon, est l'un des défis les plus difficiles de la peinture, en particulier avec les paysages.

Le paysage s'étend en contrebas comme si nous le voyions depuis le monticule où le saint subit son martyre.

Écart visuel

Dans cette œuvre des frères del Pollaiolo, *Le Martyre de saint Sébastien*, les champs de vision semblent totalement étrangers l'un à l'autre. Le premier plan est construit pour être vu par en dessous : c'est en effet le point de vue du spectateur.

Le Martyre de saint Sébastien

Antonio et Piero del Pollaiolo, huile sur peuplier, 291,5 x 202, 5 cm, 1475
Dans ce retable, les espaces du premier plan et du paysage n'ont aucune homogénéité. La vision de ces deux espaces ne peut en aucun cas être simultanée.

Les Chasseurs dans la neige

Pieter Bruegel l'Ancien, 117 x 162 cm, 1565
Cette peinture présente des paysans dans la neige. Le regard du spectateur suit les chasseurs et leurs chiens ainsi que la diagonale des troncs. Sur la neige blanche, ceux-ci, sombres et dont l'épaisseur décroît, créent une progression rythmique qui traverse l'espace.

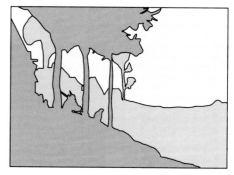

Plans de l'espace

L'espace n'est pas conçu comme une progression continue. Comme des toiles successives de décors de théâtre, plusieurs plans ponctuent et marquent l'éloignement.

Le Château de Steen

Pierre Paul Rubens,
132 x 223 cm, vers 1636
Rubens a peint ce paysage pour fêter son acquisition d'une propriété à la campagne. Il y représente une vue panoramique pleine de détails minutieux. L'espace s'étire jusqu'à l'horizon où la ville d'Anvers apparaît, dans un halo bleu. Des paysans vont au marché dans leur charrette, et la scène est baignée par la lumière dorée d'un matin d'automne.

Couleurs chaudes et froides

Ce détail illustre la façon dont Rubens jouait des effets produits par les couleurs chaudes et froides pour construire l'espace. Les couleurs dites chaudes sont proches du rouge et viennent au-devant du spectateur. Les couleurs froides, en revanche, proches du bleu, semblent s'éloigner. Les baies rouges du premier plan et les feuillages roussis d'automne semblent avancer, tandis que les verts teintés de bleu entraînent le regard vers l'horizon.

Enfant portant des grenades

Pieter de Hoogh,
73,5 x 60 cm, 1662
L'espace des scènes d'intérieur est plus facile à composer que celui des paysages. Ici, De Hoogh se sert d'éléments architecturaux pour donner un sentiment de profondeur. Les damiers des carrelages et les lignes convergentes de la perspective guident le regard vers le personnage qui se tient debout derrière la porte du fond. De la première pièce, qui est dans l'ombre, jusqu'à cette rue en pleine lumière, une alternance savante d'espaces tantôt lumineux, tantôt obscurs guide le regard dans sa progression.

Navire approchant de la côte

J. M. W. Turner,
102 x 142 cm,
vers 1835-1840
La lumière est le véritable sujet de cette œuvre. Elle reste pourtant structurée selon les principes de composition que Turner hérita de Claude Lorrain (p. 11), qu'il admirait.

Pendant des siècles, la plupart des artistes eurent l'ambition de reproduire en peinture des objets réels dans la réalité de leur espace. De nos jours encore, nombreux sont ceux qui jugent une peinture en fonction de ses qualités de ressemblance. Une rupture fondamentale eut lieu au XXᵉ siècle : l'art se libérait du joug de la réalité. Les cubistes furent les premiers à mettre à mal les conventions de l'illusionnisme : plutôt que d'organiser leur représentation à partir d'un point fixe (comme le fait la photographie), condition indispensable pour créer une illusion visuelle, ils multiplièrent les angles de vue en fragmentant l'objet. De nombreux artistes ont rejeté l'idée qu'une peinture doive ressembler à quoi que ce soit : sa propre réalité suffit.

Lignes de perspective
Les lignes qui constituent l'espace pictural convergent toutes vers un seul et unique point de fuite.

Duper le regard
Ce détail d'un tableau d'autel de la Renaissance a été réalisé en trompe l'œil. Les fruits, sur la bordure architecturale du retable, semblent si vrais qu'on les dirait tout juste cueillis.

« LA PEINTURE PURE »
Les couleurs, leur répartition, leur matière, la composition de la toile sont les éléments essentiels et fondamentaux de ce que certains nomment « la peinture pure ».

Analyse informatique
L'espace illusionniste des peintures de Vermeer est rendu avec une précision extrême qui fonde la magie de son œuvre.

Des scientifiques ont pu le recréer avec un ordinateur. La scène apparaît sur l'écran sous divers angles : on la voit ici en vue plongeante.

LA DAME DEBOUT À L'ÉPINETTE
Jan Vermeer (de Delft), 51,5 x 45 cm, vers 1670
Il est probable que Vermeer s'est servi d'une *camera oscura* (une chambre noire) pour construire son tableau. Cette boîte, constituée de lentilles et de miroirs, permettait la projection d'une scène sur un écran. Certaines singularités, comme la chaise au premier plan et le fait que sur certains des objets essentiels on ait comme besoin de « faire le point », prouvent l'usage de cette *camera oscura*.

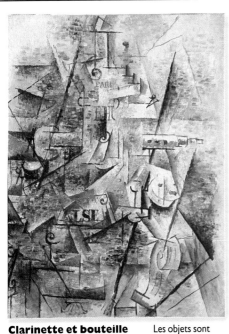

**Clarinette et bouteille
de rhum sur
une cheminée**

Georges Braque, 81 x 60 cm, 1913
Nature morte cubiste, utilisant
de multiples points de vue

La bordure
du tableau
restée
vierge
marque ici
le passage
de la réalité
à sa
représenta-
tion
picturale.

Les objets sont
ici brisés
en facettes
géométriques.

Kandinsky
devait, par
la suite,
développer
un art
purement
abstrait
exprimant
une réalité
invisible et
spirituelle.

**Les Promenades
d'Euclide**

*René Magritte,
162,5 x 130 cm, 1955*
On a souvent comparé
la surface plate du tableau
à une fenêtre à travers
laquelle on pouvait voir le
monde tel qu'il est. Magritte
commente ici avec humour
cette relation entre la réalité
et son équivalent pictural :
en plaçant la toile devant
une fenêtre, il confond la
peinture avec la vue qui
paraît dans la fenêtre.

Cosaques

*Wassily Kandinsky,
94,5 x 130 cm, 1910-1911*
Cette toile, si elle contient
plusieurs références au
monde visible, ne s'appuie
pas sur la réalité : elle met
en œuvre de façon abstraite
des rapports de couleurs
capables de susciter l'idée
de la guerre.

La plupart des peintures sont exposées dans des lieux pour lesquels elles n'ont pas été créées. Pour apprécier pleinement une œuvre d'art, il faut aussi considérer sa fonction particulière et sa place initiale, qui toutes deux participent de la forme et du contenu. L'image, le style et la taille d'une œuvre dépendirent pendant des siècles du commanditaire du tableau, et de l'emplacement auquel il la destinait. L'immense majorité de ces œuvres n'a pas été conçue pour être accrochée dans un musée. Elles ont été commandées ou achetées pour remplir un rôle précis : accompagner un fidèle dans les exercices spirituels de sa foi ou décorer le plafond d'un palais aristocratique.

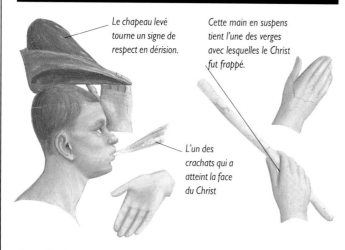

Le chapeau levé tourne un signe de respect en dérision.

Cette main en suspens tient l'une des verges avec lesquelles le Christ fut frappé.

L'un des crachats qui a atteint la face du Christ

Combinaisons de symboles

Les représentations symboliques de ce qu'a dû endurer le « Christ aux outrages » entourent la représentation du couronnement dérisoire qui précéda la mise en croix.

Le Christ aux outrages

Fra Angelico (Guido di Pietro) ; fresque, 195 x 159 cm, 1440-1441
Cette peinture se trouve dans la cellule n° 7 du couvent florentin de San Marco. L'art de la litote est caractéristique de l'œuvre de Fra Angelico. Le traitement du sujet explique parfaitement la raison d'être de la peinture : la violence est bannie de cette scène où le Christ aux yeux bandés est injurié et frappé.

Cette image traitée de façon stylisée fut composée pour accompagner la méditation des moines isolés dans leurs cellules.

Couvent de San Marco

Tous les couloirs et les cellules du couvent sont décorés de scènes de la vie du Christ.

La Cène

Léonard de Vinci, fresque, 421,5 x 901,5 cm, vers 1495-1497
Comme les fresques de Fra Angelico, *La Cène* de Léonard était destinée à un couvent. Elle couvre le mur du réfectoire de Santa Maria delle Grazie, à Milan, et illustre le moment où le Christ prend congé de ses apôtres. Ce thème détermine l'emplacement de la peinture : dans le réfectoire du couvent. Elle donnait aux moines l'impression de participer à ce dernier repas.

Les colombes sont un attribut de Vénus (p. 38).

Les trois Grâces laissent tomber des pétales sur la tête du nouveau-né.

Cupidon et son arc

Spalliera (dossier)

Cassone (coffre de mariage)

Les panneaux latéraux représentent des vertus telles que la Justice et la Prudence.

Coffre de mariage florentin décoré

Zanobi di Domenico (sculpture), Jacopo del Sellaio et Biagio d'Antonio (peinture), 212 x 193 x 76 cm, 1472
Certaines peintures accrochées aux cimaises des musées faisaient initialement partie d'un meuble. Ainsi, un long

À Florence, ces meubles dont les peintures représentent des contes héroïques de la littérature classique décoraient la *camera* (la chambre).

panneau rectangulaire, datant de la Renaissance italienne, peut fort bien avoir décoré un *cassone* (coffre de mariage) commandé par l'époux à l'occasion de son mariage. Celui-ci provient d'une des rares paires de *cassoni* qui nous soient parvenues intactes, avec sa *spalliera*.

Allégorie avec Vénus et le Temps

Giovanni Battista Tiepolo, 292 x 190 cm, vers 1758
Le cadre de cette œuvre, aux courbes inhabituelles, épouse exactement les contours de son emplacement au plafond d'un palais vénitien. En dépit de ses qualités et de sa beauté décorative, son rôle dépasse celui de la simple décoration : elle devait célébrer la

Un nouvel emplacement

Le retable de Cima fut singulièrement abîmé au cours des siècles. Une difficile restauration en a interdit l'accès au public pendant longtemps. Lors de l'inauguration de l'aile Sainsbury de la National Gallery de Londres, en 1991, ce retable fut installé au fond d'une

naissance d'un héritier dans la famille qui passa la commande. Vénus a donné naissance au héros troyen Énée ; le Temps, qui le tient dans ses bras, a abandonné sa faux, en signe d'immortalité. Les personnages sont peints pour être vus par en dessous, non seulement parce qu'ils occupent une position céleste, mais parce que la toile était accrochée au plafond.

succession de salles à colonnes. À l'origine, il se trouvait dans une église. Cet emplacement-ci souligne néanmoins le rôle particulier que la perspective occupe dans cette œuvre : le dallage au sol et le plafond à caissons étaient conçus pour prolonger l'architecture qui l'entourait.

L'apôtre Thomas, qui doute de la Résurrection, examine la blessure au flanc du Christ.

L'Incrédulité de saint Thomas

Cima da Conegliano, 294 x 199,5 cm, 1504
Ce retable fut commandé par une confrérie laïque vénitienne qui se réunissait pour faire ses dévotions et la charité.

Les matériaux ont une importance décisive sur l'aspect d'une peinture. La plupart des changements de style et de technique furent étroitement liés à une évolution des types de matériaux disponibles. Les artistes travaillèrent d'abord à la fresque ou à la tempera (voir ci-dessous) qui avaient chacune leur propre qualité de beauté, mais qui ne permettaient pas d'atteindre ce niveau de réalisme et cette variété que la peinture à l'huile allait apporter au cours du XVe siècle. Le fait que l'huile exige un long temps de séchage permit aux peintres de modifier leurs œuvres ou de les corriger ce qui était jusque-là impossible avec la fresque et la tempera. L'huile devint le médium prépondérant pendant cinq siècles, jusqu'à l'apparition de l'acrylique au milieu du vingtième siècle.

Vierge à l'Enfant
Duccio de Buoninsegna, tempera à l'œuf sur bois, 62 x 38 cm, vers 1315
Cette image tendre est le résultat d'un long processus. Il fallait tout d'abord préparer le bois avec un fin enduit de gesso, préparation à base de poudre de gypse mêlée à de la colle ; puis dessiner les lignes principales avec une pointe de métal qui en creusait l'épaisseur. Enfin, les chairs et les draperies étaient peintes à la tempera.

Technique de la fresque

La fresque est une technique de peinture murale qui consiste à peindre sur une couche de plâtre frais. La simplicité audacieuse qui caractérise l'œuvre de Giotto (p. 10) est liée, pour une part, aux exigences de la technique du *buon fresco* (fresque véritable). Une fois le carton préparatoire reporté sur le plâtre frais, il fallait peindre assez vite pour que le pigment l'imprègne et le teinte. On n'appliquait sur le mur que la surface de plâtre qu'il était possible de peindre en une journée. Ce découpage permet d'identifier la progression jour après jour du travail de Giotto.

Azurite broyée

Échantillon brut d'azurite

Jaune d'œuf

Broyage des couleurs

Les pigments utilisés pour la peinture à la tempera, tous d'origine minérale, végétale, ou extraits de terres et d'argiles, devaient, pour devenir utilisables, être écrasés dans un mortier, puis étalés sur une pierre plate et mêlés à de l'eau.

Pour le fond, on appliquait des feuilles d'or au brunissoir sur le bois incisé au compas et au burin qui laissait apparaître des motifs décoratifs.

Tempera et or

La dénomination complète de la tempera est « tempera à l'œuf ». Les pigments, réduits en poudre, étaient mélangés avec du jaune d'œuf qui servait de liant. La peinture, appliquée par petites touches, séchait presque aussitôt.

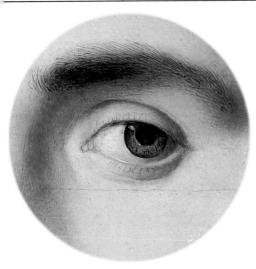

Jeu de regard

Cet œil (à droite), peint par Antonello da Messina, semble fixer celui qui regarde la toile. Des dégradés et des modifications de tons imperceptibles nuancent la carnation du visage. L'œil est traité avec une présence et une brillance intenses.

Portrait d'homme

Antonello da Messina,
huile sur peuplier,
35,5 x 25,5 cm, vers 1475
Cet admirable portrait illustre les possibilités extraordinaires d'un nouvel illusionnisme qu'offre la peinture à l'huile. Ce visage d'homme tourné vers le spectateur s'impose d'une manière presque hyperréaliste, comme un portrait photographique. En supplantant le liant à l'œuf, l'huile donnait à l'artiste les moyens de jouer des transparences en modifiant peu à peu les superpositions de couleurs. De plus, la réflexion de la lumière, propre à la peinture à l'huile, lui permit d'être encore plus réaliste qu'avec la tempera.

Outremer

Brun d'Espagne

Terre de Sienne brûlée

Huile de noix

Peinture à l'huile

Les pigments utilisés avec la peinture à l'huile étaient broyés sur une pierre, comme pour la tempera. Le liant était l'huile de lin, de noix, ou de pavot. Au XIXe siècle, une nouvelle gamme de couleurs artificielles et l'apparition de la peinture en tubes provoquèrent le développement d'un nouveau type de peinture.

Premiers tubes de peinture à l'huile

Promenade matinale

Thomas Gainsborough,
236 x 179 cm, 1785-1786
La peinture à l'huile offrait à l'artiste le moyen de créer des scènes réalistes tout en lui donnant une liberté d'expression nouvelle. L'huile permet une grande variété de « touches ». Le charme des peintures de Gainsborough tient pour beaucoup à cette beauté de la touche. Au-delà du raffinement de ce portrait de mariage, et de l'élégante subtilité propre à l'artiste, c'est par l'allongement de ses coups de pinceau que Gainsborough marque sa maîtrise.

Le bras de Mme Hallett

Transparence de la gaze et éclat de la soie se conjuguent.

Femme et enfant dans un jardin à Bougival

Berthe Morisot,
huile sur toile non préparée,
59,6 x 73 cm, 1882
Comme ses compagnons impressionnistes, Berthe Morisot rejeta le style « léché » de la peinture à l'huile qui dominait le XIXe siècle. Plutôt que de travailler avec d'imperceptibles coups de pinceau, elle marquait ses toiles de touches vigoureuses et puissantes, avec une étonnante liberté.

La peinture sur papier à l'aquarelle ou au pastel est traditionnellement considérée comme une technique mineure. Pourtant, la grande souplesse de travail qu'offrent ces deux médiums leur valut d'être très largement utilisés. Facile à transporter, et séchant vite, l'aquarelle est parfaitement adaptée à la peinture en plein air et aux études sur le motif. De plus, elle offre d'infinies possibilités, qui vont de la simple mise en couleur d'esquisse à la peinture la plus aboutie, et rivalise par la complexité de ses teintes avec les huiles les plus élaborées. Comme l'aquarelle, le pastel est fait de pigments liés par de la gomme et présentés en bâtonnets. Les peintures à l'aquarelle et au pastel sont souvent de petite taille et fragiles car la lumière les altère. De ce fait, le regard qu'elles suscitent est plus empreint d'intimité. Les plus grands peintres, au cours des siècles, ont eu recours à ces médiums pour des œuvres décisives.

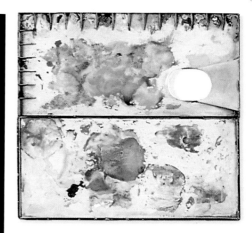

À la différence de l'aquarelle, les pigments utilisés dans la gouache sont mélangés à du blanc de plomb qui les opacifie.

Palette pour l'aquarelle
Cette palette appartint à James McNeill Whistler. Les blocs de pigments y sont mêlés à de la gomme arabique, liant soluble dans l'eau. On obtient ainsi des lavis de couleurs transparents qui jouent avec la pâleur du papier.

Thomas Boleyn
Hans Holbein, aquarelle crayon et encre, 40,5 x 29,5 cm, vers 1535
Hans Holbein le Jeune, artiste allemand célèbre à la cour d'Henri VIII d'Angleterre, était particulièrement attaché au dessin. Il le considérait, ainsi qu'en témoigne ce portrait de Thomas Boleyn, comme une œuvre à part entière et non comme une simple étude préparatoire pour un portrait à l'huile. Ce dessin illustre la façon dont Holbein utilisait les techniques et les médiums les plus divers pour travailler sur papier.

Il a peut-être obtenu la ressemblance en transférant ingénieusement sur papier les lignes de contour tracées d'abord sur verre. En se servant à la fois de craies de couleur, d'encres indiennes et de lavis d'aquarelle, il disposait de techniques et de couleurs si fines et si précises que l'on pourrait presque compter les poils de la barbe du modèle. Enfin il joue de manière remarquable de la pâleur du papier même pour les plis du vêtement et le modelé délicat du visage.

Coucher de soleil sur le lac de Lucerne (étude)
J.M.W. Turner, crayon et aquarelle sur papier, 24,5 x 30,5 cm, 1844
La transparence de l'aquarelle en fait le médium idéal pour rendre des éléments aussi impalpables que l'air et la lumière. Turner peignit autant à l'huile (p. 17)

qu'à l'aquarelle les effets de l'atmosphère. Ici, il joue de la transparence des lavis dont les teintes se superposent. Cette aquarelle servait de modèle aux commanditaires qui déterminaient ainsi sur « échantillon » le thème de la toile qu'ils désiraient acquérir.

Le Porteur de narguilé

J.F. Lewis, encre, aquarelle et gouache
sur papier, 56 x 40,5 cm, 1859
Cette aquarelle victorienne montre de
façon exemplaire comment la peinture
à l'eau peut atteindre la précision et la
densité de couleur qu'on attribue
généralement à la peinture à l'huile.
Destinée à une exposition, elle fut
traitée avec la même exigence de fini
que l'huile. Le choix de ce sujet
orientaliste, alors à la mode, l'éclat des
teintes, la finesse et la précision des
touches témoignent de la façon dont
Lewis travailla pendant plus de trente
ans. Entravé par le manque de
considération pour cette technique,
le peintre dut abandonner l'aquarelle.

Usage de la gouache

Délaissant la technique
traditionnelle de l'aquarelle
qui permet de jouer
du papier blanc pour
marquer les points
de lumière, Lewis
a souligné ici de
touches de gouache
blanche ses marques
lumineuses. On le
voit nettement au
bord des sourcils de
ce porteur de narguilé.
Les ombres sont
ponctuées de ces touches.

Expérimentations

Degas a su rendre le
mouvement de torsion
nonchalant de cette femme
en utilisant le pastel en
lignes larges et hachurées
qui définissent autant la
forme que les contours. Il
parvient à créer une matière
aussi vivante que variée avec
un petit nombre de couleurs,
dominées ici par le cuivre du pot,
de la chevelure et de l'éponge.

Palais d'été au pied
d'une montagne escarpée

Anonyme, aquarelle sur papier,
26 x 23 cm, dynastie Ming (1368-1644)
L'aquarelle est utilisée depuis bien plus
longtemps en Orient qu'en Europe.
Au Ier siècle, les Chinois inventèrent le
papier puis perfectionnèrent à la fois
les techniques du papier, de la soie,
de l'aquarelle et de l'encre. Ce paysage
chinois traduit avec minutie des détails
naturels tout en déployant un sens
puissant de la composition picturale.
La délicatesse du tracé des arbres,
des silhouettes et des bâtiments est un
contrepoint à la force dramatique
des formes montagneuses.

Le Tub

Edgar Degas, pastel sur papier,
60 x 83 cm, 1886
Composition, point de vue et
technique s'allient ici pour mettre le
spectateur dans la position d'un voyeur
qui épie « par le trou de la serrure ».
L'asymétrie délibérée de la composition
donne le sentiment qu'on assiste
à cette scène incidemment. Le fait
qu'on la voit de haut renforce encore
l'impression de voyeurisme. Enfin,
la technique du pastel, sa rapidité,
accentue l'effet de surprise : l'attitude
de cette jeune fille à sa toilette semble
ne pas être une pose.

La plupart des reproductions de peinture réduisent le format des tableaux et effacent les détails. On perd ainsi l'un des bénéfices de l'observation directe : pouvoir considérer l'œuvre de très près, étudier le travail du pinceau, observer la trame de la toile qui reste apparente si la couche de peinture est légère, ou encore examiner les empâtements qui caractérisent le travail de certains artistes. Ces pages, où figurent plusieurs agrandissements photographiques, offrent l'occasion d'apprécier les caractéristiques de surface de quelques tableaux. Pourtant rien ne saurait remplacer l'observation de l'original. Par ailleurs, il faut se souvenir que le passage du temps, ou des retouches d'une autre main peuvent avoir considérablement transformé la surface picturale des peintures anciennes.

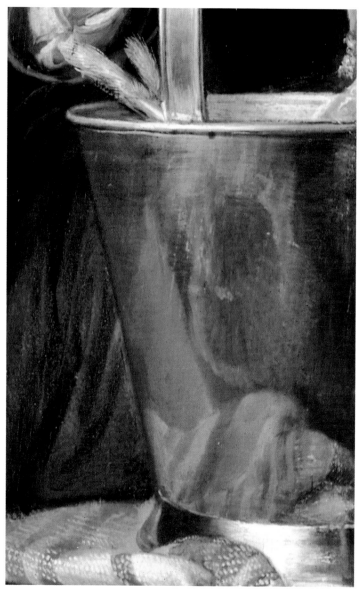

Ce détail montre la finesse des touches et la matière lisse que le peintre Dou parvenait à obtenir.

Une finition d'émail

Dans *L'Échoppe du marchand de volaille* (p. 29), Gerard Dou a rendu le contraste entre la surface brillante et réfléchissante du seau de métal, et la texture du tissu sur lequel il est posé. La technique lente et laborieuse de l'artiste est entrée dans la légende. Le fini, pareil à celui de l'émail, qu'il savait obtenir lui valut une réputation mondiale. On raconte qu'il préparait lui-même ses couleurs, fabriquait ses brosses, et exigeait qu'il n'y ait plus la moindre poussière dans son atelier.

Touche pleine d'audace

La manche du *Cavalier riant* (p. 45), de Hals, donne un bon exemple de l'énergie qu'un artiste transmet par sa technique du pinceau. La bande de jaune orangé du revers est traitée d'un geste large et libre, tandis que la broderie précieuse est réalisée en touches précises et nettes.

Empâtements

À l'opposé du fini très léché caractéristique de Gerard Dou, le *Paysage jaune* (p. 13) peint par Roderic O'Connor est composé d'épaisses couches de peinture, qu'on appelle des empâtements. En séchant, la peinture conserve l'empreinte de chaque coup de pinceau et forme ici une épaisse croûte qui couvre toute la surface de la toile. Pourtant, depuis 1892, la surface de l'œuvre s'est aplatie à certains endroits. La peinture est désormais exposée derrière une vitre, ce qui contribue encore à diminuer l'effet de relief produit par les empâtements.

Coulées

Il n'y a aucune trace de pinceau dans ce détail de *Aleph* (p. 13), de Morris Louis. L'artiste a versé de la peinture acrylique très diluée sur la toile non préparée pour que la couleur ne reste pas en surface mais l'imprègne par « capillarité ». La résine séparée du pigment a formé des auréoles autour des langues de couleur. La texture très régulière de la toile est restée visible.

TRANSFORMATION DE SURFACE

Les surfaces picturales s'altèrent ou s'abîment pour de nombreuses raisons : les couleurs peuvent passer, le vernis s'assombrir, ou la toile être déchirée. Il arrive aussi que les panneaux de bois se voilent ou se fissurent. Certaines de ces modifications ne nécessitent aucune intervention, mais dans quelques cas, le délabrement des peintures est tel qu'il faut procéder à une restauration pour leur rendre l'apparence qu'elles méritent.

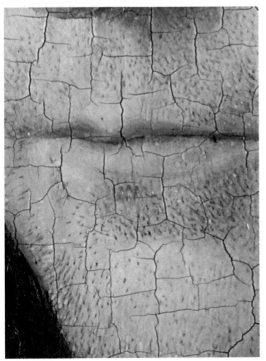

Avant restauration

Le détail ci-dessus montre le type d'altération auquel l'équipe de la National Gallery de Londres dut faire face pour restaurer *L'Incrédulité de saint Thomas*, de Cima da Conegliano (p. 21) : on voit les zones cloquées ou écaillées, et des morceaux entiers se sont détachés. Les trous d'aiguille sont la trace des injections de produits adhésifs pratiquées autrefois pour résorber les soulèvements. On remarque d'anciennes retouches dans la partie sombre de la bouche.

Craquelures

Les craquelures qui couvrent toute la surface de *L'Homme au turban* de Van Eyck (p. 54) sont dues au dessèchement et au vieillissement de la peinture. Cet agrandissement (ci-contre, à gauche) les rend extrêmement visibles, mais elles apparaissent de façon plus ténue sur l'œuvre elle-même. Ces marques du temps ne nuisent pas à l'effet général du tableau, et on ne cherche habituellement pas à les dissimuler.

La surface entière de cette peinture était abîmée. La tâche du restaurateur moderne consiste à nettoyer et à stabiliser la peinture, pour lui rendre sa lisibilité.

Après restauration

Le visage de l'apôtre a retrouvé cet aspect. Les analyses des différentes couches de peinture ont permis d'identifier les moyens et les pigments qu'employait Cima.

Depuis la Renaissance, on a considéré certaines catégories de peintures, certains genres, comme plus importants que d'autres. Au sommet de cette hiérarchie on trouvait la « peinture d'histoire », constituée d'œuvres de grande taille représentant avec solennité des scènes tirées de l'histoire, de la Bible, de la mythologie ou de la littérature. L'objectif de telles représentations était d'instruire et d'éduquer le spectateur. Bien que relevant davantage du domaine privé, le portrait avait aussi pour sujet des personnages importants du passé comme du présent. Il occupait la deuxième place et venait donc avant la « peinture de genre », qui recouvrait toutes les représentations, généralement de petite taille, des scènes de la vie quotidienne. Cette peinture s'attachait aux personnes ordinaires. Ces trois premières catégories restaient centrées sur l'homme et ses actions, tandis que les deux dernières, qui s'attachaient au paysage et à la nature morte, étaient considérées comme des genres mineurs malgré leur grande popularité. Depuis la fin du XIXᵉ siècle, ces distinctions n'ont plus cours ; mais elles influent encore sur notre manière de regarder...

Cette sculpture anglaise date du XIXᵉ siècle.

Art académique

Comme tous les directeurs d'académies entre le XVIIᵉ et le XIXᵉ siècle, sir Joshua Reynolds plaçait la peinture d'histoire au sommet de la hiérarchie.

Le Serment des Horaces

Jacques Louis David,
331 x 428 cm, 1784
Dans ce parfait exemple d'une peinture d'histoire du XVIIIᵉ siècle, David a choisi de célébrer, au travers d'un sujet classique, tiré de la Rome antique, les devoirs patriotiques. Se détachant de profil sur une succession de colonnes austères, les trois frères romains Horaces font le serment de combattre les trois Curiaces, leurs ennemis d'Albe, et d'aller jusqu'au sacrifice de leur vie pour éviter la guerre entre les deux cités. Le message correspond à la situation de la France prérévolutionnaire : savoir sacrifier le bonheur individuel à la cause publique, c'est faire preuve de noblesse et de vertu.

Guernica

Pablo Picasso,
349,5 x 776,5 cm, 1937
Plus grande, et plus dramatique encore que *Le Serment des Horaces*, de David, cette œuvre de Picasso est sans doute l'une des plus importantes peintures d'histoire de notre siècle. Picasso la réalisa après le bombardement de la ville de Guernica. Picasso ne fait pas explicitement référence à l'événement que fut la destruction par l'aviation nazie de Guernica, ville basque au nord de l'Espagne, durant la guerre civile (1936-1939).

L'Échoppe du marchand de volaille

Gerard Dou, huile sur panneau, 58 x 68 cm, vers 1670
Par son sujet trivial et populaire et sa petite taille, cette scène de genre est à l'opposé des peintures d'histoire, qui véhiculent des valeurs de noblesse morale et de grandeur. Dans l'encadrement de la fenêtre d'une échoppe, deux femmes admirent un lièvre mort, entourées de plusieurs volailles disposées avec soin et peintes avec un grand réalisme. Une frise ouvragée, sous la margelle, montre de petits Amours joufflus en train de jouer avec une chèvre récalcitrante, tandis qu'au premier plan un chapon, ignorant du sort qui l'attend, s'engraisse dans sa cage d'osier.

Portrait d'une dame en jaune

Alessio Baldovinetti, huile sur panneau, 63 x 40,5 cm, vers 1465
Cette jeune aristocrate n'a pu être identifiée malgré le motif floral qui orne sa manche et fait sans doute référence à ses armoiries. Ce genre de portraits, rappel de médailles antiques, était très prisé en Italie au milieu du XVe siècle.

Gelée blanche

Camille Pissarro, 65 x 93 cm, 1873
Pissarro présenta cette peinture à l'exposition impressionniste de 1874, en boycottant délibérément le Salon officiel de Paris. Fidèle aux règles de la peinture académique et à son respect des genres, le jury du Salon aurait condamné le fait que la scène n'était pas idéalisée.

La Brioche

Jean-Baptiste Siméon Chardin, 47 x 56 cm, 1763
Peintre du XVIIIe siècle, Chardin fut célébré de son vivant pour la sérénité et la simplicité de ses natures mortes, un genre pictural dont il est l'un des maîtres. Il créait ses compositions bien équilibrées en disposant ses objets devant un fond uni et sombre et traitait les différentes textures avec un grand réalisme.

Les peintures qui racontaient une histoire étaient autrefois considérées comme les plus utiles, à condition que leur sujet fût religieux, historique ou mythologique. La représentation d'une histoire pouvait servir différents objectifs : commémorer un événement, éduquer les illettrés, illustrer un sermon ou exalter une valeur morale. Le recours à une image unique ne semblait pourtant pas bien adapté aux contingences d'un récit qui se développe en plusieurs séquences. Les peintures durent donc délivrer leur contenu narratif de diverses manières : soit en se concentrant sur l'instant le plus significatif ou en le dissimulant de manière délibérée ; soit en mettant en scène plusieurs épisodes simultanément, ou encore en illustrant chacune des scènes individuellement comme c'est le cas dans des séquences de bandes dessinées.

Spectateurs dans la peinture
Les réactions des témoins se lisent sur leur visage. Un groupe de femmes, plein de curiosité, observe l'action qui se déroule en bas.

Tous les panneaux de la *Vie de saint François* ont la même forme.

L'or a disparu, révélant le rouge de la couche de préparation.

Saint François devant le sultan
Sassetta, 87 x 52,5 cm, 1437-1444
Cette peinture, ainsi que celle de droite, fait partie d'un retable destiné à l'église San Francesco in Borgo Sansepolcro, qui comptait, outre un grand panneau représentant saint François, huit petites peintures illustrant des épisodes de sa vie. Le saint traverse l'épreuve du feu pour tenter de convertir le sultan d'Égypte au christianisme en lui montrant le pouvoir de sa foi. Le feu a été réalisé à l'aide de feuilles d'or formant des arabesques.

Le Bienheureux Agostino Novello et quatre de ses miracles
Simone Martini, tempera sur panneau, 198 x 257 cm, vers 1324
Cette image d'un moine volant au secours d'un enfant est l'une des nombreuses scènes d'un retable consacré à Agostino Novello. L'artiste a représenté l'enfant pendant et après sa chute dans le même tableau. Sous le regard de la mère, Agostino saisit au vol la planche meurtrière et bénit l'enfant, qui le remercie.

Les miracles des saints sont un sujet apprécié.

Saint François et le loup de Gubbio
Sassetta, tempera à l'œuf sur peuplier, 87 x 52,5 cm, 1437-1444
Un autre épisode de la *Vie de saint François* le montre apprivoisant le loup qui terrorisait le peuple de Gubbio. Les restes d'un corps déchiqueté sont les macabres rappels de ses forfaits. Saint François et le loup se serrent la main pour sceller un contrat que le notaire, sur la gauche, rédige : le loup accepte de ne plus s'attaquer aux villageois si ceux-ci s'engagent à le nourrir.

En dépit des avertissements de son père, Dédale, Icare s'approcha trop du soleil si bien que la cire de ses ailes fondit, ce qui provoqua sa chute.

La Chute d'Icare
Pieter Bruegel,
73,5 x 112 cm, vers 1555
À première vue, cette peinture semble représenter une scène pastorale : un fermier laboure son champ pendant qu'un berger surveille ses moutons. Au cœur de cette scène paisible, un drame presque indiscernable se joue : Icare, qui s'était évadé du Labyrinthe grâce aux ailes de cire et de plumes que son père avait conçues, tombe dans la mer.

Tragédie cachée
Bruegel suppose que le spectateur a connaissance de la légende d'Icare. En n'y faisant qu'une allusion, il l'utilise pour en tirer une morale : toute ambition est vaine.

La chapelle Scrovegni
Comptant parmi les merveilles de l'art occidental, le cycle narratif élaboré par Giotto est sans doute l'interprétation la plus émouvante de l'histoire chrétienne. Les panneaux racontent l'histoire de Joachim et d'Anne, les parents de la Vierge Marie (p. 10), la vie de la Vierge et enfin celle du Christ jusqu'à son Ascension. Le style choisi pour traiter chacune des scènes joue avec finesse d'une grande puissance d'expression.

Le mémorial Sandham
Lorsque Stanley Spencer montra les esquisses qu'il avait effectuées d'après ses souvenirs de la Première Guerre mondiale à M. et Mme. J. L. Behrend, ces derniers décidèrent de construire une chapelle pour qu'il les réalise en peintures murales. Cette chapelle fut édifiée en hommage au frère défunt de Mme Behrend, le lieutenant Henry Sandham. Spencer mêle son expérience personnelle à des éléments de l'histoire chrétienne.

Spencer ne cache pas sa dette envers Giotto et met en scène le Jugement dernier : des soldats morts se relèvent du champ de bataille et offrent leurs croix au Christ.

Whaam !
Roy Lichtenstein, acrylique sur toile,
172,5 x 406,5 cm, 1963
Une peinture n'est pas toujours aussi simple que le récit de l'histoire qu'elle semble représenter. L'artiste pop américain Roy Lichtenstein met en scène les mots et les images des bandes dessinées populaires sous un jour nouveau en les sortant de leur contexte et en les portant à une échelle exceptionnelle. Ici, le drame du pilote de chasse lancé dans un combat mortel est le prétexte à des rapports de couleurs audacieux et de formes puissantes.

Quand on raconte une histoire, avec des mots ou avec des images, certains éléments du drame sont mis en avant, d'autres occultés. Il arrive – comme dans *Le Christ aux outrages*, de Fra Angelico (p. 20) – que l'artiste vide la scène de ses éléments physiques et émotionnels pour provoquer chez le spectateur une méditation plus profonde et plus sereine. À l'inverse, la puissance dramaturgique des deux œuvres reproduites ici se fonde sur le choix des sujets représentés et le parti adopté pour les traiter. Toutes deux mettent en scène avec la même théâtralité des histoires tirées de la Bible. En jouant sur le contraste violent de l'ombre et de la lumière (*chiaroscuro* en italien), en accusant la gestuelle, au réalisme trivial, ces peintures créent des images très frappantes. Leur similitude stylistique est évidente. Artemisia Gentileschi fut fortement influencée par Caravage, dont le style dramaturgique et l'usage du clair-obscur marquèrent de manière décisive l'art de toute l'Europe du XVIIe siècle.

Pour respecter la perspective, la main du disciple tendue vers le lointain devrait être plus petite.

Stupéfaction
Le geste ample du disciple, bras tendus, sur la droite, détermine la profondeur de l'espace.

Acteur du drame
Caravage a composé la scène pour que le spectateur en soit partie prenante. En montrant le disciple Cleophas de dos, il nous invite à regarder par-dessus son épaule. Le disciple, prêt à se lever, s'appuie aux accoudoirs de son siège : son coude et son bras semblent sortir de la toile. De la même manière, la corbeille de fruits, posée en équilibre au bord de la table, semble prête à s'en échapper pour entrer dans l'espace où nous sommes.

L'obscurité de l'ambiance ajoute à l'intensité du mystère et interdit toute distraction devant ce qui est en train de s'accomplir.

Le fait que Cleophas agrippe les accoudoirs de son fauteuil accuse l'intensité dramatique du récit et fait basculer le spectateur dans la scène.

LES PÈLERINS D'EMMAÜS
Caravage, 141 x 196 cm, vers 1600-1601
La scène représente le Christ ressuscité entouré de deux de ses disciples qui étaient persuadés d'être en compagnie d'un étranger. Caravage dépeint avec un grand sens théâtral le moment précis au cours duquel Jésus bénit le pain et où les disciples réalisent tout à coup que leur Seigneur ressuscité est parmi eux. Le Christ semble éclairé par des projecteurs, son ombre portée marque intensément le mur derrière lui, sa sérénité et sa concentration, ses mains levées doucement, accentuent encore la stupéfaction des deux disciples.

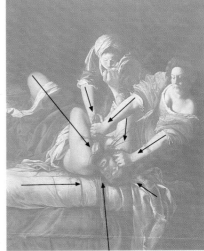

L'assassinat du général assyrien (Holopherne) se joue sur un fond sombre bien adapté à une intrigue mêlant secret et séduction.

Rayons de lumière

Comme Caravage, Gentileschi exploite le potentiel dramatique du clair-obscur pour définir l'ambiance et la mise en scène de cet épisode. Les lignes fortement éclairées des bras et des jambes rabattent le regard sur le point d'horreur autour duquel s'organise toute la composition : Holopherne égorgé.

JUDITH ET HOLOPHERNE

Artemisia Gentileschi,
169 x 162 cm, vers 1618

Judith est une héroïne de la Bible qui sauva sa ville assiégée de l'envahisseur. Cette belle veuve séduisit Holopherne, le légendaire général assyrien, le fit boire et le décapita avec sa propre épée. Dans de nombreuses autres représentations du même sujet, les artistes ont montré Judith juste après le crime, portant à la fois son arme et la tête coupée. La puissance dramaturgique de l'histoire a frappé Gentileschi, qui la peignit à de nombreuses reprises. Ici, elle choisit de se concentrer sur l'acte sanglant lui-même.

Il y a de la provoca-tion dans le réa-lisme maca-bre.

La pres-sion de la garde de l'épée sur le bras d'Holopherne est dépeinte avec minutie.

Détails provocants

Le visage de Judith est modelé vigoureusement par la lumière, et son front est marqué des rides de l'effort que lui coûtent son geste et sa détermination. Sa poitrine pâle est tachée de sang.

Force physique

À la différence de la plupart des artistes qui s'attachèrent aux charmes physiques de la jeune veuve Judith, Artemisia Gentileschi insiste sur la violence de son héroïne. Du poing gauche elle saisit les cheveux du général, tandis que de la main droite elle enfonce comme une scie l'épée dans sa gorge.

L'art satirique du peintre anglais William Hogarth n'a rien de commun avec la manière dont Caravage racontait une histoire. Soucieux de présenter des « sujets moraux modernes », Hogarth se lança dans une série de six toiles intitulée *Le Mariage à la mode*, à l'intérieur de laquelle chaque détail participe au commentaire moral de l'action principale. Il dénonce la nouvelle mode des mariages entre la bourgeoisie prospère et la noblesse ruinée. On y voit un vaniteux jeune vicomte entretenant une liaison qui lui apportera une maladie vénérienne, tandis que sa fiancée est l'objet des attentions de l'homme de loi Silvertongue « langue d'argent ». Elle succombera à ses avances et se suicidera en apprenant qu'il a été pendu pour avoir assassiné son mari, qui les avait surpris. De nombreux tableaux apparaissent dans les toiles de Hogarth. Ils sont là pour commenter l'action et donner l'alarme à propos d'une horreur annoncée. Ils témoignent aussi du goût que l'on avait alors pour la peinture étrangère que Hogarth dédaignait.

Arbre généalogique

Bien qu'il ait dilapidé sa fortune, le comte, père du marié, atteste sa noblesse en déroulant son arbre généalogique. C'est cette noblesse qu'il vend à un bourgeois.

LE CONTRAT DE MARIAGE

William Hogarth,
70 x 91 cm, vers 1743
La première toile de la série montre l'arrangement du mariage entre l'enfant d'un certain lord Squanderfield (littéralement « terre brûlée ») – aussi bien nommé qu'irrémédiablement ruiné – et celui d'un commerçant roturier. Cette union sans amour, fondée sur la vanité et l'intérêt de l'échange d'une dot contre un titre, est condamnée par l'artiste.

Souliers élégants

Chaque détail est traité de façon satirique. Le jeune vicomte pose sur le sol ses pieds chaussés coquettement de souliers français (mode que méprisait Hogarth).

Maladie aristocratique

Le comte est fier de l'extravagance de son style de vie. Il pose ostensiblement son pied sur un tabouret marqué d'une couronne comtale.

Le Contrat de mariage
William Hogarth,
70 x 91 cm, vers 1743

C'est dans la vieille demeure du comte que le triste sort du jeune couple est scellé.

Peu après le mariage
William Hogarth,
70 x 91 cm, vers 1743

Les jeunes mariés n'ont que leur désarroi en commun ; leur intendant part avec les factures impayées.

La Visite au charlatan
William Hogarth,
70 x 91 cm, vers 1743

Le vicomte et sa maîtresse cherchent un traitement pour guérir leur maladie vénérienne.

LE LEVER DE LA COMTESSE

William Hogarth, 70 x 91 cm, vers 1743

Les couronnes, disposées à l'aplomb du lit et du miroir de la coiffeuse, laissent entendre que le vieux comte est mort et que son fils a hérité du titre. La comtesse reçoit le matin, comme d'ordinaire. Elle écoute Silvertongue pendant qu'un coiffeur français s'occupe de sa chevelure, et qu'une de ses invitées se pâme au chant d'un castrat italien (chanteur d'opéra). Silvertongue, qui a posé ses pieds sur le sofa comme s'il se sentait chez lui dans cette chambre, l'invite à un bal masqué, lieu par excellence de rendez-vous galants.

Regarder avec horreur

Le personnage mythologique de la Méduse, aux yeux exorbités et à la coiffure de serpents, était si hideux qu'on était transformé en pierre dès qu'on la regardait. Ce symbole de l'horreur, qui domine la scène du *Contrat de mariage*, semble annoncer ce qui se trame. L'emplacement choisi pour la Méduse est significatif : elle se trouve juste au-dessus du jeune couple et de l'homme de loi.

Discrets détails

Le hochet de corail qui pend au dossier de la chaise de la comtesse est le seul détail indiquant qu'elle ait eu un enfant. Celui-ci n'apparaît que sur le dernier tableau de la série, agrippé à la robe de sa mère morte. Une malformation de la jambe rappelle sa maladie vénérienne congénitale.

L'art de la séduction

Les peintures accrochées aux murs expliquent clairement la nature des relations de la comtesse et de Silvertongue. Le portrait de ce dernier se trouve en haut à gauche, tandis que les trois autres toiles représentent *Le Rapt de Ganymède*, *Les Filles de Loth* faisant boire leur père, et la copie d'un *Jupiter et Io*, scènes d'enlèvement et de séduction.

L'emblème du cocu

Un jeune domestique vide un panier empli d'objets hétéroclites. La scène peinte sur un plat représentant Léda séduite par Jupiter déguisé en cygne est une allusion au désir de Silvertongue.

Les cornes du cerf Actéon sont celles du mari trompé.

Le Lever de la comtesse

William Hogarth, 70 x 91 cm, vers 1743

La comtesse noue les liens les plus intimes avec l'homme de loi Silvertongue.

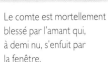

L'Assassinat du comte

William Hogarth, 70 x 91 cm, vers 1743

Le comte est mortellement blessé par l'amant qui, à demi nu, s'enfuit par la fenêtre.

Le Suicide de la comtesse

William Hogarth, 70 x 91 cm, vers 1743

Le père, accablé, retire l'alliance en or : le suicide de sa fille l'écarte des droits sur sa fortune.

Une peinture n'est jamais strictement limitée à un thème précis et identifiable. Le mode d'expression est aussi déterminant que le thème peint. Le sens véritable de toute œuvre d'art tient autant au sujet même qu'à la manière dont il est traité. Les peintres peuvent interpréter un sujet de manières infiniment diverses. La comparaison des différentes variations d'un même thème est un très bon exercice pour aiguiser le sens de l'observation et apprendre ce que « voir » veut pleinement dire. Ainsi, on peut comprendre sur ces pages comment deux artistes, presque contemporains, se lancèrent dans des interprétations radicalement différentes d'une même image. On découvre aussi comment deux œuvres, qui n'ont *a priori* rien de commun entre elles, l'une étant figurative et l'autre abstraite, entretiennent un rapport étroit.

La stupeur de saint Jean

Le Pérugin relate la Crucifixion (en haut, à droite) sur un mode sentimental : le visage de saint Jean l'Évangéliste est juvénile et doux, ses yeux sont levés au ciel et ses mains croisées semblent plus évoquer l'attitude d'un danseur que la prière. À l'opposé, le saint Jean de Grünewald fixe d'un air hagard le Seigneur qui souffre : ses yeux sont rougis par les larmes ; ses mains jointes sont tordues de désespoir.

Petite Crucifixion

Matthias Grünewald, huile sur bois, 61,5 x 46 cm, vers 1520
La Crucifixion, image fondamentale de l'art chrétien, est un thème récurrent de l'œuvre de Grünewald. Celui-ci peint la scène avec un réalisme obstinément expressif et pathétique qui souligne avec une terrible intensité la souffrance physique du Christ : tout est douleur et malaise. Formes et couleurs se combinent pour accuser la sensation d'une agonie physique et spirituelle. La silhouette exsangue du Christ se détache sur un fond sombre, son corps émacié est tordu, sa peau lardée de cicatrices, son vêtement en lambeaux. De la forme en Y dessinée par les membres et le corps, toute vie se retire. La traverse de la croix semble peser et accentuer un profond mouvement de désespoir.

Crucifixion avec la Vierge et saint Jean

Le Pérugin, originellement huile sur bois, panneau central : 101,5 x 56,5 cm, vers 1485
Malgré l'évidente similitude de la composition, cette image sereine et idéalisée n'a rien de commun avec celle de Grünewald. La peinture allemande impose un regard plongeant, tandis que celle-ci exige qu'on lève les yeux vers le ciel, suivant le mouvement propre au Christ qui transcende sa souffrance physique. Le corps de Jésus, intact et gracieux, est ceint d'un linge aux plis réguliers dont un pan flotte sur le ciel bleu pâle d'un joli paysage.

Distorsions expressives

La force expressive de l'art de Grünewald est frappante dans ce détail des pieds du Christ distordus avec une exagération presque grotesque. Ces mouvements des mains et des pieds apparaissent dans chacune de ses crucifixions. Si ce réalisme lugubre est, pour une part, dû à la tradition naturaliste allemande, il est doublé de l'expression personnelle de la chrétienté selon Grünewald.

La Création d'Adam

Michel-Ange, fresque du plafond de la chapelle Sixtine, 1508-1512
Cette scène célébrissime est extraite du plafond de la chapelle Sixtine. Elle présente Dieu, soutenu par les anges et insufflant la vie à Adam. Le thème de la création du premier homme est ici traité avec une force picturale exceptionnelle, qui s'appuie autant sur des moyens figuratifs qu'abstraits. Les muscles de Dieu sous sa tunique transparente, sa barbe qui flotte vers son épaule, l'intensité de son regard, sont les éléments figuratifs qui soulignent sa puissance. Il tend le doigt pour transmettre la vie à Adam, dont la perfection physique témoigne de ce qu'il est encore vierge du péché originel. Des éléments abstraits symbolisent l'énergie de la création : le double mouvement des bras tendus et des index sur le point de se toucher se détache dans un espace vide. C'est cet intervalle qui crée le sentiment d'une tension surnaturelle. Nul ne peut douter que ce soit là, dans ce vide, que passe l'influx, l'étincelle qui donne la vie.

Tension vitale

Toute la composition de la fresque de la Sixtine est concentrée sur ces deux mains qui ne se touchent pas. Celle d'Adam semble encore engourdie de sommeil, tandis que le trait puissant de l'index de Dieu témoigne de son énergie. Si ces deux mains étaient réduites à des formes géométriques simples, comme des triangles, la tension dynamique resterait intacte. Mais, en rapprochant ces deux triangles pour les mettre en contact, on perdrait le mouvement et l'extraordinaire impression de tension.

Adam

Barnett Newman,
243 x 203 cm, 1951-1952
Si l'on ignore le titre de cette œuvre, on ne peut imaginer qu'elle évoque *La Création d'Adam*. C'est le titre qui signale au spectateur la dimension symbolique de cette peinture. Soucieux du rapport entre la création divine et la création artistique, Newman se servait de formes et de couleurs comme de symboles pour l'exprimer. Il espérait ainsi transmettre ses idées. Il appelait les bandes verticales et rouges des « zips ».

Les « zips » (bandes verticales) – en référence aux fermetures Éclair – créent un effet visuel similaire au « vide » central de la fresque de Michel-Ange. Ils représentent aussi la lumière, métaphore traditionnelle de la création.

Les spectateurs contemporains des œuvres du passé identifiaient d'emblée les personnages et les symboles qui leur étaient familiers. Même si nous sommes encore en mesure d'apprécier les qualités esthétiques de ces peintures, le style, la maîtrise des lignes et des couleurs, leur contenu demeure souvent mystérieux. En observant la peinture religieuse occidentale, nous voyons souvent réapparaître les mêmes personnages : la Vierge Marie et le Christ, mais aussi un grand nombre de saints et de martyrs qui les accompagnent. Ceux-ci sont identifiables grâce à leurs « attributs », objets qui les accompagnent traditionnellement. S'ils peuvent sembler accessoires aujourd'hui, ils permettaient de déchiffrer les significations particulières des peintures. La compréhension de ces codes visuels exige des efforts, mais elle offre pour récompense de mieux appréhender les œuvres.

LA VIERGE À L'ENFANT AVEC SAINT JÉRÔME ET SAINT SÉBASTIEN

Carlo Crivelli, huile sur peuplier, panneau central : 150,5 x 107,5 cm, vers 1490

Ce tableau d'autel au cadre très élaboré est connu sous le nom de *Madonna della Rondine*, à cause de l'hirondelle (en italien, *rondine*) perchée sur le dossier du trône de la Vierge. La scène principale présente dans un riche décor de marbres et de natures mortes la Vierge entourée des deux saints avec leurs attributs. Au-dessous court une prédelle, suite de petits tableaux dont les trois panneaux centraux mettent en scène l'histoire des personnages de l'image principale, tandis que les extrémités sont consacrées à sainte Catherine et à saint Georges tuant le dragon.

Hirondelle

L'hirondelle perchée sur le dossier a donné son nom à l'œuvre.

Elle est l'un des nombreux symboles de la résurrection du Christ.

La courge est en équilibre instable sur le trône.

Un tissu brodé ajoute à l'effet décoratif de l'ensemble.

Symbole de la Résurrection

Comme l'hirondelle, la courge est un symbole de la Résurrection lié à l'aventure de Jonas, qui ressortit indemne du ventre de la baleine.

Cet épisode passe pour être une préfiguration de la résurrection du Christ. Selon la Bible, c'est Dieu qui planta une courge pour procurer de l'ombre à Jonas.

Saint Jérôme

Toujours représenté avec une barbe et des cheveux gris, saint Jérôme peut être dépeint de trois manières différentes : soit vêtu de la pourpre cardinalice et portant une maquette d'architecture en tant que Père de l'Église – les deux livres qu'il tient ici indiquent qu'il fit une traduction de la Bible en latin –, soit en pleine méditation dans son cabinet de travail, soit encore, comme dans la prédelle, en pénitent à demi nu dans le désert.

La croix rouge qui est peinte à l'intérieur de l'auréole du Christ enfant (détail à droite) est une allusion à sa future crucifixion.

Des rayons de lumière jaillissent de la porte de l'église.

L'auréole du Christ

À son apparition, environ au Vᵉ siècle, l'auréole, ce halo de lumière céleste, était réservée à Dieu le Père, à son fils, au Saint-Esprit et aux anges. Mais, peu à peu, l'art chrétien étendit son usage aux saints et aux bienheureux.

Collier de corail protecteur (voir également p. 7)

Crivelli a paré son personnage des attributs classiques qui nous permettent de le reconnaître ; il a mis une flèche dans la main de saint Sébastien et déposé un arc à ses pieds dont l'extrémité est visible à l'angle du panneau central.

Les flèches de saint Sébastien

Cette représentation de saint Sébastien, en jeune homme blond vêtu d'un somptueux costume, est tout à fait exceptionnelle. Il figurait généralement presque nu et transpercé de flèches, comme on peut le voir dans la prédelle (voir ci-dessous et p. 16). Une auréole marque sa sainteté.

Le lion de saint Jérôme

Saint Jérôme est d'ordinaire coiffé d'un chapeau rouge de cardinal et accompagné d'un lion, auquel la composition laisse peu de place. La crinière de l'animal est traitée comme la chevelure de saint Sébastien. Le lion montre sa patte blessée.

Saint Jérôme retira une épine de la patte du lion, qui, de ce jour, voua au saint une amitié indéfectible.

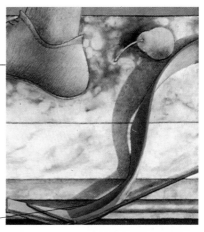

La courbe de l'arc, derrière le pied du saint, semble se prolonger vers le spectateur.

La roue de sainte Catherine

Comme saint Sébastien, la vierge et martyre sainte Catherine d'Alexandrie a les yeux tournés vers le spectateur. Elle pose la main sur son attribut, la roue de bois hérissée de pointes de fer qui fut l'instrument de son supplice. Comme saint Sébastien, elle survécut à son martyre, mais fut ensuite décapitée.

Le saint martyrisé

Juste au-dessous du personnage élégant, qui figure à droite du panneau central, se trouve la scène que l'on associe traditionnellement à saint Sébastien. Centurion romain, Sébastien fut condamné à mort pour avoir choisi de se convertir à la religion chrétienne. Il survécut au supplice mais fut ensuite battu à mort et jeté dans un égout.

Exception faite de la Bible, *Les Métamorphoses*, d'Ovide, furent le texte qui suscita le plus grand nombre de représentations entre la Renaissance et le XIXᵉ siècle. Ovide développe à l'intérieur de ce poème d'anciens mythes fascinants et étranges, au cours desquels des êtres humains se transforment en arbres, en nuages ou en fleurs. *Les Métamorphoses* ne sont pas le seul texte qui connut un tel succès auprès des artistes. L'histoire des héros de la guerre de Troie fournit aux ateliers les sujets les plus divers. Légendes et poèmes épiques, comme *L'Iliade* ou *L'Odyssée*, attribués à Homère, ont désormais cessé d'inspirer les peintres. Il est cependant nécessaire de connaître quelques-unes de ces fables pour apprécier pleinement la manière dont elles ont été interprétées picturalement.

Les Métamorphoses

Rédigées, au premier siècle apr. J.-C. sous forme d'un long poème, *Les Métamorphoses* d'Ovide racontent deux cent cinquante transformations (des métamorphoses) d'êtres humains et de dieux en animaux ou en objets. Alliant l'horreur au fantastique et aux récits amoureux, elles furent une mine d'inspiration pour les artistes.

Jupiter et Io

Le Corrège, 163,5 x 74 cm, vers 1530

Jupiter fait plusieurs apparitions dans *Les Métamorphoses* d'Ovide et y accomplit, sans être découvert, ses infidélités amoureuses. Sur le point d'être démasqué par Junon, sa femme, alors qu'il la trompe avec Io, il se transforme en nuage. Seuls ses traits et sa main, devant le visage et sur la hanche de la nymphe, sont encore identifiables. Cette toile représente le premier épisode de l'histoire. Dans d'autres œuvres, Io est transformée en génisse.

Apollon et Daphné

Antonio del Pollaiolo, 29,5 x 20 cm, vers 1470

Cette peinture met en scène, sur fond de paysage toscan, la passion désespérée d'Apollon pour la nymphe Daphné. Au moment où le Dieu s'apprête à abuser d'elle, Daphné se transforme en laurier.

Paysage avec Écho et Narcisse

Claude Lorrain, 94,5 x 118 cm, vers 1644

Claude Lorrain a installé ses personnages mythologiques dans un paysage idéalisé qu'éclaire la lueur du crépuscule. Punie par Junon, la nymphe Écho ne peut plus répéter que le dernier mot qu'elle a entendu. Elle aime Narcisse, qui la dédaigne pour son propre reflet. Tandis que la nymphe se désincarne, l'adolescent se lamente sur son image qu'il ne peut étreindre.

Les Métamorphoses de Narcisse

Salvador Dali, 51 x 78 cm, 1937
L'atmosphère onirique qu'évoque le mythe de Narcisse est particulièrement bien rendue dans ce chef-d'œuvre de l'art surréaliste. Le beau jeune homme épris de lui-même se tient debout sur un socle, dans le lointain. Au moment où il se penche pour se regarder dans le lac au premier plan, il se transforme en main. Le bras de Narcisse est devenu un doigt replié ; sa jambe et son genou, un pouce et un ongle ; sa tête, un œuf d'où jaillit la fleur qui porte son nom. À sa mort, Narcisse fut effectivement métamorphosé en fleur, changement que Lorrain (à gauche) passe sous silence mais qui constitue le cœur de l'œuvre de Dali. Selon ce dernier, la meilleure façon de regarder sa peinture est de fixer la silhouette de Narcisse jusqu'à ce que l'attention soit attirée par les autres parties de l'image.

L'Enlèvement d'Hélène

École de Fra Angelico, huile sur panneau, 51 x 61 cm, vers 1450
Cette scène représente l'enlèvement de la reine de Sparte par le prince troyen Pâris, ce qui déclencha la guerre de Troie. D'après les anciens poèmes grecs, Hélène fut enlevée de force. Dans les textes médiévaux, en revanche, elle tombe amoureuse de Pâris et s'enfuit avec lui. Rassemblées dans le temple, les autres femmes de la cour, effrayées, voient Hélène partir sur les épaules de Pâris. Les premiers rayons de l'aube rendent de façon allégorique la libération d'Ulysse à la naissance du jour.

Ulysse tournant Polyphème en dérision

J.M.W. Turner, 146 x 236 cm, 1829
L'Odyssée, d'Homère, raconte le voyage que fit Ulysse, dix années durant, avant de pouvoir rentrer à Ithaque. Au cours de cet épisode, Ulysse et douze de ses compagnons sont enfermés par le géant Polyphème dans une grotte. Ils s'enfuirent en le faisant boire et en crevant son œil unique.

Les tableaux recèlent souvent de nombreux sens cachés. Les peintures allégoriques demandent un fin décryptage des personnages et des événements qui sont représentés : la première lecture en dissimule une autre. Les peintres de la Renaissance faisaient volontiers appel aux héros de la mythologie classique pour illustrer les vices et les vertus, pour évoquer des sentiments moraux ou des attitudes philosophiques. Parfois, des interprétations contemporaines de l'œuvre permettent d'affiner encore la lecture de l'image représentée. On éprouvera un plaisir très vif à regarder ces œuvres en cherchant à en découvrir le sens. L'interprétation diffère souvent selon le contexte. Les tableaux reproduits ici ont tous deux Vénus pour sujet, mais la déesse de l'amour joue dans chacun un rôle différent : dans l'un elle incarne la beauté, dans l'autre, la luxure.

Minerve portait chez les Grecs le nom de Pallas Athéna. C'est à elle que la Grèce doit le nom de sa capitale.

Références croisées
La Vénus de Bronzino tient dans la main la pomme d'or gagnée devant ses rivales Minerve et Junon lors du concours de beauté qu'arbitra Pâris.

PALLAS ATHÉNA CHASSANT LES VICES DU JARDIN DE LA VERTU

Andrea Mantegna, tempera sur toile, 160 x 192 cm, 1499-1502

Cette peinture fut commandée par Isabelle d'Este, l'une des mécènes les plus cultivées de la Renaissance. Les Vertus ont dû fuir le jardin de l'esprit envahi par les Vices. Trois des Vertus sont sur un nuage, tandis que la quatrième, la Prudence, est emprisonnée sur un rocher. La déesse de la sagesse, Pallas Athéna, se lance à la poursuite de Vénus, qui personnifie ici la luxure, et des Vices.

La déesse Pallas Athéna

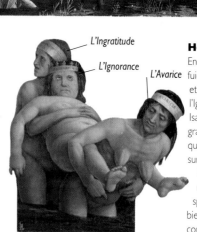

L'Ingratitude
L'Ignorance
L'Avarice

Déesses en guerre
Pallas Athéna, déesse de la guerre et de la sagesse, se reconnaît à son armure, son casque et son bouclier. Elle se précipite dans le jardin pour la juste cause. Derrière elle, une banderole entourant un être hybride, mi-arbre, mi-homme, porte cette inscription en hébreu : « Venez, divins compagnons des Vertus… chassez les âmes de ces Vices monstrueux. » La déesse, secondée par Diane, la chasseresse, et par la Chasteté, s'élance en direction de Vénus qui, debout sur un centaure (mi-homme, mi-cheval, symbolisant la luxure), exhibe sa nudité.

Horribles péchés
En tête du convoi des Vices qui fuient le jardin, on trouve l'Avarice et l'Ingratitude qui transportent l'Ignorance, grasse et couronnée. Isabelle d'Este tenait à avoir le plus grand contrôle sur les images qu'elle commandait ; elle fit écrire sur un bandeau autour de leur tête le nom de chaque personnage représenté, pour que les spectateurs du tableau sachent bien ce qu'elle voulait qu'on comprenne.

ALLÉGORIE AVEC VÉNUS ET CUPIDON

Agnolo Bronzino, 146 x 116 cm, vers 1545

Vénus apparaît ici comme une allégorie érotique de l'amour impur et de ses conséquences. L'exacte signification de chacun des personnages a été beaucoup discutée. Le thème de l'œuvre est centré sur Vénus, qui joue de sa beauté pour désarmer l'Amour : elle lui vole sa flèche pendant qu'ils s'embrassent.

L'Amour (Cupidon)

La flèche que Vénus vole à l'Amour

Vénus, la mère de l'Amour

Mère et fils

Vénus était la déesse de l'amour, mais la pomme d'or qu'elle tient dans sa main indique qu'elle est ici l'incarnation de la Beauté. Déployant tous ses attraits pour l'Amour – et, devant le spectateur, – elle le séduit d'un baiser. Le jeune dieu, dont elle est aussi la mère, se perd dans son regard et ne remarque pas qu'elle en profite pour lui dérober la flèche dans laquelle résident ses pouvoirs. Cette *Allégorie* prouve que l'Amour perd sa puissance devant la Beauté.

La folie et les roses

Les différents personnages de l'*Allégorie* renvoient à plusieurs aspects de l'amour. À côté de Vénus et de Cupidon qui s'embrassent, un petit garçon joufflu, figurant l'insouciance et la folie, se prépare à couvrir le couple de pétales de roses. L'une de ses chevilles est ornée de clochettes. La rose était l'attribut (p. 38) de Vénus : comme l'amour, sa beauté cache des épines. La légende raconte que ce sont les gouttes de sang du pied de la déesse, blessé par les épines, qui auraient coloré les roses blanches.

Les plaisirs et les peines

On pense que ces deux personnages représentent les conséquences de l'amour. L'un symboliserait les douceurs, l'autre les chagrins. À droite, le corps de la jolie jeune fille, qui offre un rayon de miel, se termine par une queue ornée d'un dard. À gauche, le personnage torturé serait la Jalousie, ou, comme on le pense depuis peu, la Syphilis.

Les révélations du temps

Le vieil homme ailé portant un sablier sur son dos représente le Temps. Il écarte l'étoffe bleue qui voilait le personnage féminin situé en haut, à gauche, de la peinture. Le visage de ce personnage, qui semble un masque vide, laisse présumer qu'il s'agit de l'Imposture ou de l'Oubli. Les deux autres masques aux pieds de la déesse renvoient aussi au mensonge.

Le portrait occupe le deuxième rang dans la hiérarchie des genres (p. 28), juste après la peinture d'histoire, laquelle a été étudiée dans les pages précédentes, et juste avant la « peinture de genre » qui traitait des scènes de la vie quotidienne. La ressemblance avec le modèle joue un rôle décisif. Mais l'art du portrait ne consiste pas seulement à rendre cette ressemblance avec plus ou moins d'acuité, il peut aussi vouloir révéler le caractère intime et la personnalité de celui qui pose. Pour la plupart des portraits que nous admirons, la question de la ressemblance ne se pose pas puisque leurs modèles nous sont inconnus ; ils témoignent cependant d'une époque au travers de l'individu peint. Le choix de la pose du modèle, son costume et son attitude, comme le décor et les objets qui l'entourent, peuvent être chargés de sens. Les portraits jouent de nombreux rôles, publics ou privés, qui dictent la manière dont ils sont réalisés et notre façon de les regarder. Ils peuvent être de petite taille, représenter le visage d'un être aimé, mettre en scène un riche personnage, ou figurer parmi d'autres portraits de famille. Enfin, le portrait peut avoir pour fonction d'exalter la puissance d'un roi et de faire connaître son image.

Or — *Rubis*

Perle

La miniature Gresley
Nicholas Hilliard, aquarelle sur vélin, diam : 7 cm, 1580-1585
Une riche orfèvrerie enchâsse ces portraits miniatures de sir Thomas Gresley et de sa femme.

Portrait équestre de Charles Ier
Anton Van Dyck, 367 x 292 cm, vers 1638
Ce portrait équestre que Van Dyck fit de Charles Ier ne vise pas seulement la ressemblance : l'air souverain et mélancolique du roi d'Angleterre en armure, sa pose et la mise en scène signalent au spectateur son pouvoir et son autorité. Depuis l'Antiquité, les monarques aimaient à se faire représenter à cheval.

Le Pape Innocent X
Diego Vélázquez, 139,5 x 120,5 cm, 1650
Ce portrait allie virtuosité du pinceau et profonde observation psychologique. Le pape semble donner audience. Il tient une pétition à la main et jette un regard soupçonneux en direction de Vélázquez (qui, outre sa qualité de peintre, était ambassadeur du roi d'Espagne).

Autoportrait
Rembrandt, 114,5 x 94 cm, vers 1665
Les autoportraits de Rembrandt sont des exemples suprêmes de la profondeur de l'étude psychologique en peinture. Ici, l'artiste, âgé d'une soixantaine d'années, s'est représenté au travail. Des parties du tableau, comme les mains ou la palette, sont restées inachevées, et notre regard est aimanté par le visage vieilli, façonné par les empâtements, qui semble sortir de l'ombre. À l'opposé, le portrait brillamment éclairé de Frans Hals, ci-contre, semble s'appuyer sur les qualités d'instantanéité qui caractérisent la photographie.

Le Cavalier riant
Frans Hals, 86 x 69,5 cm, 1624
Se détachant sur le mur où se projette son ombre, ce personnage semble s'adresser au spectateur avec un réalisme troublant. La bonne humeur et la virtuosité de la touche sont caractéristiques des œuvres de Hals.

INSPIRATION
Les artistes s'inspirent parfois d'autres œuvres d'art. Ici, sir Joshua Reynolds fait référence à une statue de l'Antiquité classique à laquelle il emprunte son attitude de noblesse héroïque.

General sir Banastre Tarleton
Joshua Reynolds, 263 x 145,5 cm, 1782
Reynolds a effectué le portrait de ce héros de la guerre de l'Indépendance américaine en s'inspirant de la pose de la célèbre sculpture d'Hermès (à gauche), qui se trouvait alors à la Landsdowne House de Londres.

Hermès
Cette sculpture grecque datant du IVᵉ siècle av. J.-C. offre de frappantes similitudes avec *Tarleton*, bien que la pose soit inversée.

L'artiste est ici plus préoccupé par la peinture que par les traits de son modèle.

Jeune fille de profil
Gwen John, 46 x 32 cm, fin des années 1910
Peut-on qualifier de portrait une œuvre comme celle-ci ?

Comme toute œuvre, l'art du portrait reflète son époque au travers de son style, propre au peintre et à son temps, et au travers du modèle lui-même. La mode du costume porté par ce dernier, le décor et tous les détails qui l'environnent concourent à définir son caractère, son goût et sa position sociale. Ces indications peuvent devenir inintelligibles pour le spectateur d'aujourd'hui. Ainsi, le portrait ci-dessous, qui semble montrer une femme âgée faisant de la tapisserie, représente en fait une comtesse habillée à la mode du jour, entourée de meubles modernes et s'adonnant à la passion du moment, le *knotting*. Reynolds a peint des détails facilement compréhensibles par ses contemporains, comme Hockney a choisi ses modèles pour que l'observateur des années soixante-dix puisse reconnaître en eux des Londoniens à la mode.

Tissus à la mode

Le motif de cette soierie, comme le châle et la robe représentés dans le portrait ci-dessous, fut créé au XVIIIᵉ siècle. Les spectateurs contemporains de ce portrait ne pouvaient ignorer l'élégance particulière du motif à l'ananas. De la même manière, les contemporains d'Hockney remarquaient la robe violet et rose de madame Clark. Celia Birtwell (de son nom de jeune fille) et Ossie Clark étant décorateurs d'intérieur, l'importance du « style » est ici justifiée.

ANNE,
COMTESSE D'ALBERMARLE

Sir Joshua Reynolds,
127 x 101 cm, vers 1760
Lançant un regard plein de circonspection vers le public, la comtesse en habits de deuil tient entre ses mains la navette à *knotting* (nouement de cordelettes) ; un panier et des ciseaux sont posés à côté d'elle, sur une table de style Chippendale. Reynolds a consigné par des détails minutieux l'élégance conservatrice de son modèle, qui représente la mère d'un de ses amis.

Navette à « knotting »
Cette technique, alors très en vogue, permettait de faire avec du fil des franges décoratives.

PORTRAIT DE MONSIEUR ET MADAME CLARK ET DE PERCY

David Hockney, acrylique sur toile, 213,5 x 305 cm, 1970-1971
Représentant ses amis dans leur propre environnement, un an après leur mariage, pour lequel David Hockney avait été témoin, l'artiste a donné ici une version très décontractée du portrait officiel.

Siège « design »
Le fauteuil de Clark, en vogue au début des années 70, est issu d'un modèle créé par le Bauhaus.

Au travail
Hockney a rendu les effets de la lumière filtrant à travers les persiennes ; on le voit ici mettre la dernière touche à la chevelure de Celia.

La photographie a été recadrée.

Ossie et le chat
Le jour où Hockney prit les photographies qui devaient lui servir à sa composition, Ossie venait de se lever ; il était encore pieds nus, une cigarette à la main, avec son chat. Celia était debout à ses côtés.

Le nu est un des thèmes les plus traités dans l'art occidental depuis que les Grecs et les Romains s'attachèrent à idéaliser le corps humain. Pendant le Moyen Âge, seule la représentation du corps du Christ est tolérée, mais bientôt le rôle joué par le nu et l'effet qu'il produit vont varier à l'infini. Il sera souvent l'emblème de l'harmonie et des proportions parfaites. Il peut aussi vouloir déployer les qualités techniques du dessin anatomique, exprimer des comportements comme la faiblesse, la colère et la joie, ou être simplement érotique. On constate que la représentation du nu masculin a toujours été, et demeure, moins répandue que celle du nu féminin. Si le corps de l'homme est exhibé pour sa musculature ou son caractère héroïque, celui de la femme est la plupart du temps un objet de beauté sensuelle exposé pour être admiré. Pourtant, quel que soit le sexe, il subsiste toujours une grande différence entre la nudité réelle et le nu peint. L'artiste privilégie souvent des aspects particuliers du corps, au risque de s'éloigner du réalisme de la nature, pour s'approcher de l'idéal esthétique qui est le sien, ou celui de son temps.

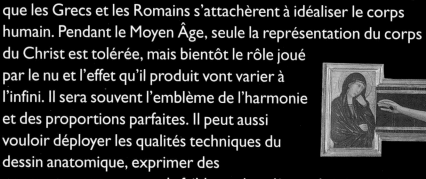

La Vierge Marie (à gauche)

Saint Jean l'Évangéliste

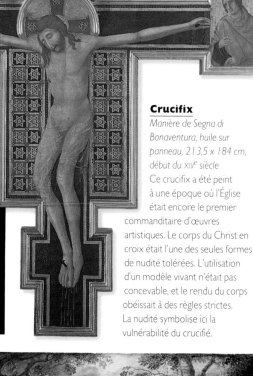

Crucifix

Manière de Segna di Bonaventura, huile sur panneau, 213,5 x 184 cm, début du XIVe siècle
Ce crucifix a été peint à une époque où l'Église était encore le premier commanditaire d'œuvres artistiques. Le corps du Christ en croix était l'une des seules formes de nudité tolérées. L'utilisation d'un modèle vivant n'était pas concevable, et le rendu du corps obéissait à des règles strictes. La nudité symbolise ici la vulnérabilité du crucifié.

L'Amour se plaignant à Vénus

Lucas Cranach l'Ancien, huile sur panneau, 81,5 x 54,5 cm, vers 1530
Vers la fin du XVe siècle, de nombreuses représentations de Vénus apparurent en Italie et proliférèrent bientôt dans toute l'Europe. Vénus, sourde aux plaintes de son fils attaqué par les abeilles (auxquelles il a dérobé du miel), exhibe ici ses attraits.

Vénus est ici parée d'un collier et d'un chapeau qui renforcent l'érotisme de sa nudité.

La sensualité des corps peints par Rubens est bien éloignée de celle de la Vénus de Cranach.

Le Jugement de Pâris

Pierre Paul Rubens, huile sur panneau, 145 x 193,5 cm, vers 1632-1635
Vénus figure ici en compagnie de Minerve et de Junon. Les trois déesses participent à un concours de beauté dont le juge est Pâris. Ce dernier tend une pomme d'or à Vénus en guise de récompense. Ce sujet, très prisé des artistes, leur permettait de peindre trois nus féminins.

L'Étude du nu dans un atelier à l'Académie royale

Johann Zoffany, 120,5 x 151 cm, 1771-1772
Ce tableau présentant un atelier de Londres montre l'importance que revêtait alors l'étude du nu d'après des modèles vivants et des sculptures antiques.

Érotique ou obscène ?

La ligne de partage entre érotisme et obscénité est bien souvent fragile. Il fut une époque où les propriétaires de l'*Allégorie* de Bronzino couvrirent le corps de la déesse d'une draperie, firent disparaître sa langue et dissimulèrent les fesses de l'Amour derrière un feuillage.

La Grande Odalisque

Jean Auguste Dominique Ingres, 91 x 62 cm, 1814
L'exotisme du décor, la sensualité des étoffes, la fourrure et les plumes ajoutent à l'érotisme glacé qui se dégage de ce nu célèbre. La représentation d'une odalisque, c'est-à-dire d'une esclave, étendue dans un harem oriental était un thème très populaire et dont le caractère sexuel séduisait. Ingres a ici refaçonné l'anatomie pour approcher ce qu'il estimait être la forme idéale : il a délibérément « amélioré la nature » et ajouté deux vertèbres à la ligne du dos, prolongeant ainsi la courbe du corps de son beau modèle.

Nu allongé au collier

Pablo Picasso, 113,5 x 161,5 cm, 1968
Si la déformation du corps de l'odalisque d'Ingres est presque indiscernable, elle devient l'élément le plus frappant de la peinture de Picasso. La femme qui lui servit de modèle est vraisemblablement Jacqueline, sa seconde épouse. Picasso a stylisé ses traits en les déformant, et a représenté sur le même plan son sexe, ses fesses et sa poitrine pour en accentuer la sexualité puissante. La toile entière est peinte de couleurs irréelles et vives, rouge, vert, bleu, blanc et jaune ; la diversité et l'énergie des touches qui composent le tableau s'opposent à l'expression particulièrement calme du visage.

La peinture de paysage est une tradition ancienne, qui remonte à l'époque où les villas étaient décorées de scènes pastorales, mais son rôle dans l'art occidental fut intermittent. Pendant la Renaissance, à de rares exceptions près, le paysage n'était qu'un fond conventionnel pour les portraits, les scènes mythologiques ou religieuses. Il fallut attendre le XVIIe siècle pour qu'il commence à exister par lui-même. Encore n'est-il souvent que la représentation d'une nature très composée et artificielle. C'est au XIXe siècle que le paysage obtint ses lettres de noblesse et devint un sujet favori de la peinture. Quand on regarde un tableau de paysage, on imagine que l'artiste, installé dans la campagne, a peint ce qu'il a vu ; or, jusqu'à la fin du XIXe siècle, ce n'était pas le cas : s'il arrivait que des esquisses soient effectuées d'après nature, les paysages étaient composés et réalisés en atelier. C'est avec les impressionnistes que vint l'habitude de peindre « sur le motif ». Pourtant, même si la nature a été le modèle direct du peintre, celui-ci ne l'a pas représentée comme le ferait un miroir, et sa personnalité et son style l'ont transformée en œuvre d'art.

La vallée de l'Arno
Ces deux détails du même paysage forment les arrière-plans des peintures d'Antonio et de Piero del Pollaiolo, l'une religieuse, l'autre mythologique (p.16 et 40). L'Arno, près de Florence où vécurent les Pollaiolo.

Paysage avec un château en ruine et une église
Jacob van Ruisdael, 109 x 146 cm, 1665-1670
L'ampleur des panoramas de Ruisdael, avec la ligne plate de leur horizon, caractéristique des campagnes hollandaises, exerça une grande influence sur ses contemporains.

Sur un ciel agité, une composition harmonieuse animée de bâtisses imaginaires et théâtrales.

Le Bois « Cornard »
Thomas Gainsborough, 122 x 155 cm, 1748
Ce paysage, que Gainsborough exécuta dans sa prime jeunesse, évoque la description que Joshua Reynolds avait faite de ses pittoresques méthodes de composition. Selon Reynolds, le peintre construisait des maquettes avec des morceaux de pierre, des herbes séchées et des éclats de miroir qui tenaient lieu de rochers, d'arbres et de lacs.

Cette image présente plusieurs invraisemblances : l'eau, par exemple, reflète des branches qui n'existent pas, et les personnages ne sont pas à l'échelle générale de la toile.

Constable réalisa cette ravissante esquisse en plein air. Il a su restituer cet après-midi d'été venteux (l'œuvre est datée du 24 août) par une apparente liberté, une grande fluidité de touche et une savante économie de moyens.

Vue de Dedham à partir de Langham

John Constable, huile sur toile contrecollée sur panneau, 13,5 x 19 cm, vers 1812-1813

Les paysages de Constable ont souvent été qualifiés de « révolutionnaires » parce que l'artiste les peignait en s'inspirant directement de la campagne anglaise. La petite tache de blanc du premier plan figure une vache qui se détache nettement sur le champ. Elle permet d'évaluer l'espace qui nous sépare de l'église de Dedham, dans le lointain.

La toile a été coupée sommairement.

Friedrich dessina lui-même ce cadre, avec son imagerie religieuse et ses angelots.

La Montagne Sainte-Victoire

Paul Cézanne, 73,5 x 91 cm, 1904-1906

Cézanne aimait tellement la Provence et tout particulièrement la montagne Sainte-Victoire et la plaine boisée qu'elle domine, à l'est d'Aix, qu'il représenta ce sujet plus de soixante fois.

Cézanne avait commencé à peindre des paysages en plein air avec son ami Camille Pissarro (p. 29). Dans cette œuvre tardive, représentant la montagne Sainte-Victoire, il cherche à rendre visibles les structures cachées de la nature.

En voyant ce tableau en 1808, un critique s'indigna du fait que le paysage cherche à s'introduire dans les églises.

La Croix dans les montagnes

Caspar David Friedrich, 115 x 110,5 cm, 1808

Artiste romantique allemand, Caspar David Friedrich trouvait une source d'inspiration spirituelle dans la contemplation de la nature. Il sut imprégner ses paysages d'une intensité presque mystique. Ce tableau d'autel représente un crucifix fiché au sommet d'une montagne rocheuse plantée de sapins, qui se détache sur un ciel rougeoyant traversé de trois faisceaux de lumière convergents.

De tous les genres, la nature morte est celui auquel on prête le moins de signification. Pourtant, elle a toujours été l'un des arts les plus populaires et les plus commerciaux. L'expression française « nature morte » traduit bien le sujet traité ; cette désignation est plus précise que ses équivalents anglais (*still life*) ou hollandais (*stilleven*) qui, sans aller jusqu'à faire allusion à la mort, renvoient simplement à l'immobilité des objets représentés. La nature morte rassemble généralement des choses inanimées auxquelles l'artiste ajoute parfois des êtres vivants, comme le firent Van Huysum (à droite) ou Matisse (p. 53). Les objets peuvent être chargés de sens, ou bien n'intéresser le peintre que pour leurs combinaisons de couleurs, de matières et de formes.

Détail
d'une nature morte
La nature morte peut n'occuper qu'une petite place à l'intérieur d'une composition. C'est le cas de ce panier de fruits des *Pèlerins d'Emmaüs* de Caravage (p. 32).

Nature morte : allégorie des vanités humaines
Harmen Steenwyck,
39 x 51 cm, 1640-1650
Tous les objets qui figurent ici sont chargés de symboles. L'un d'eux transmet aujourd'hui un message identique à celui qu'il représentait dans la Hollande du XVIIe siècle : il s'agit du crâne, référence évidente à la mort. D'autres symboles moins clairs font de cette œuvre une « vanitas », c'est-à-dire un tableau rappelant la vanité des choses terrestres. Le coquillage, alors rareté exotique, représente la richesse ; les instruments de musique et le vin, les plaisirs des sens ; les livres, la connaissance ; l'épée, le pouvoir. La montre, la lampe sur le point de s'éteindre et le crâne sont là pour rappeler au spectateur que, quels que soient sa richesse, son bonheur, son savoir ou sa puissance, le temps s'écoule et conduit inexorablement tout homme vers la mort.

Le crâne de la mort
La présence d'un crâne dans une peinture est presque toujours un *memento mori*, un rappel de la mort. Dans une peinture de « vanité » comme celle-ci, il est là pour rappeler la brièveté de la vie et sa fragilité.

Textures raffinées
Van Huysum atteint un tel degré de raffinement pictural qu'il parvient à rendre à la perfection la texture des grains de raisin tout comme la délicatesse des ailes d'un papillon.

Fleurs dans un vase de terre cuite
Jan Van Huysum,
133,5 x 91,5 cm,
1736-1737
En Hollande, le goût très vif pour la nature morte qui se développa au XVIIe et au XVIIIe siècle n'est pas étranger au rôle important que jouait alors ce pays dans l'horticulture. Van Huysum réalisait ses natures mortes par l'observation directe de la nature et non d'après des études botaniques, ce qui était alors exceptionnel.

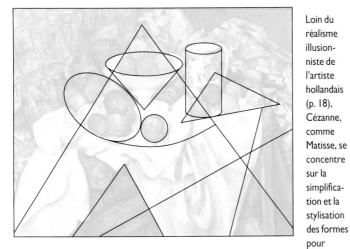

Géométrie cachée

Cézanne déclarait : « Il faut voir dans la nature des cylindres, des sphères et des cônes. » Ses compositions s'appuient souvent sur une forte structure géométrique. En plus des formes sphériques des pommes et des oranges, la peinture cache une composition très construite : quelques-unes de ces formes géométriques sont indiquées ici. Elles révèlent l'équilibre fondamental du tableau.

Loin du réalisme illusionniste de l'artiste hollandais (p. 18), Cézanne, comme Matisse, se concentre sur la simplification et la stylisation des formes pour obtenir une composition homogène et expressive.

Pommes et oranges

Paul Cézanne,
73 x 92 cm, 1895-1900
Cézanne obtient un puissant effet de tension en disposant les objets de façon tout à fait artificielle et en les peignant à partir de points de vue différents, si bien qu'ils semblent prêts à glisser de la table. Il voulait mettre en évidence l'écart entre la réalité spatiale et la surface du tableau.

Nature morte au poisson rouge

Henri Matisse, 147 x 98 cm, 1911
Matisse voulait fonder un art d'équilibre, de pureté et de sérénité dont tout sujet désagréable serait banni… et qu'il comparait à un bon fauteuil dans lequel on aimerait à se reposer. Cette peinture suscite bien ce sentiment d'harmonie visuelle.

Il arrive que nous connaissions à la fois l'auteur d'un tableau et son destinataire : les artistes signaient leurs œuvres et les commanditaires exigeaient parfois qu'une marque particulière les signale. Cependant, l'identification du créateur n'est pas toujours une tâche aisée : parfois, on ne possède ni la signature, ni même un document irréfutable permettant d'avoir la certitude qu'une œuvre a bien été exécutée par telle personne. En pareil cas, quand on pense pourtant à un artiste en particulier, on dit qu'elle lui est « attribuée ». Pendant des siècles, les peintres travaillaient en atelier, avec des apprentis et des assistants, si bien que, même lorsque la peinture comporte une signature authentique, le tableau est parfois le résultat d'un travail collectif.

Armoiries du donateur

Dans le retable de Crivelli (p. 38), l'un des donateurs fit peindre les armoiries de sa famille au bas du tableau pour être certain que l'on identifierait sa générosité. Souvent, c'est son propre portrait que le commanditaire fait représenter au milieu de la scène.

L'Abbé Scaglia adorant la Vierge et l'Enfant

Anton Van Dyck,
106,5 x 120 cm,
1634-1635
Le donateur s'est fait représenter ici de manière très évidente, à genoux devant une Madone dont les traits sont ceux de Christine de Savoie (1606-1663), fille du roi de France Henri IV. L'abbé Scaglia, prêtre et diplomate, cherchait alors à regagner ses faveurs.

Homme au turban

Jan Van Eyck,
25,5 x 19 cm, 1433
Ce chef-d'œuvre est souvent considéré comme un autoportrait, car la direction du regard correspond très exactement à la position que le peintre adopte devant un miroir. Mais rien n'est certain, car il existe de nombreux portraits dans lesquels le modèle a lui aussi cette position. En revanche, le nom de l'auteur du tableau est établi avec certitude grâce à l'inscription qui figure sur le cadre (voir ci-dessous). De plus, le style de l'œuvre est typique de sa manière très personnelle. S'il n'est pas l'inventeur de la technique de la peinture à l'huile, comme on l'a dit souvent, Van Eyck est cependant à coup sûr celui qui en a généralisé l'emploi.

Inscriptions révélatrices

En haut du cadre est inscrit « Comme je peux ». En bas, on lit : « Jan Van Eyck m'a fait, 21 octobre 1433. »

LE MAÎTRE ET SON ATELIER

Comme tous les artistes, Andrea del Verrocchio (1435-1488) possédait un grand atelier très actif qui produisait des sculptures, des pièces d'orfèvrerie et des peintures. Un grand nombre d'apprentis et d'assistants expérimentés y travaillaient sous sa direction. L'apprentissage durait de deux à huit ans (quatre ans en moyenne). Le jeune garçon commençait par balayer l'atelier, puis apprenait à dessiner et à préparer les couleurs, et enfin, selon son talent, pouvait être amené à réaliser une partie des peintures. Léonard de Vinci (1452-1519) compta parmi les apprentis de Verrocchio ; au début des années 1470, il fut autorisé à travailler au *Baptême du Christ* (ci-dessus) que réalisait son maître.

Le Baptême du Christ

Andrea del Verrocchio, tempera sur panneau, 180 x 152 cm, vers 1470
Il s'agit de l'une des rares peintures dont on sache avec certitude qu'elle est de la main de Verrocchio. Bien que son atelier eût été l'un des plus importants de Florence, dans les années 1470, et qu'il eût compté des assistants aussi illustres que Léonard de Vinci et le Pérugin (p. 36), Verrocchio était avant tout un sculpteur, et l'on connaît peu de chose sur ses peintures. Pour celle-ci, il confia au jeune Léonard l'ange de gauche, qui est nettement différent du reste du tableau.

Selon Giorgio Vasari, artiste et historien de la Renaissance, Verrocchio fut tellement impressionné par les dons du jeune Léonard qu'il ne voulut plus toucher un pinceau, car il se sentait honteux que son apprenti en comprenne mieux l'usage que lui.

Une autre main

Malgré les similitudes de ces deux têtes, la délicatesse du dessin et de l'expression, les différences sont visibles. Celui de gauche, peint par Léonard, laisse déjà transparaître un style.

On reconnaît Léonard à l'exquise subtilité du fondu des lignes.

Portrait de femme

Robert Campin, huile sur panneau, 40,5 x 30 cm, vers 1420-1430
Ce joli portrait d'une femme inconnue fut attribué à Robert Campin, peintre célèbre qui disposait d'un vaste atelier à Tournai (actuelle Belgique), au début du XVᵉ siècle. Malheureusement, on ne dispose d'aucune preuve pour appuyer cette thèse.

Ce portrait a été rapproché d'un groupe d'œuvres attribuées jusque-là au « Maître de Flémalle », dont on croit aujourd'hui qu'il pourrait bien être Robert Campin.

La marque de l'artiste

Tous les artistes ne signent pas leurs œuvres ; certains préfèrent un emblème. Les peintures de Cranach l'Ancien (p. 48) portent un dragon ailé repris des armoiries de sa famille.

L'apprentissage qu'effectuaient les artistes au sein d'un atelier dirigé par un maître les amenait à une certaine similarité de style. Il arrivait que l'on confonde des peintures réalisées par des assistants avec celles du maître lui-même (très peu de femmes possédaient leur propre atelier), si bien que l'attribution des tableaux était susceptible de changer. Pour établir l'identité d'un auteur, ou de celui qui a réalisé l'essentiel d'une œuvre, on s'appuie sur de nombreux éléments : documents d'époque, analyse scientifique pour déterminer une date, les techniques utilisées, etc. Mais le moyen le plus sûr reste l'œil. C'est en étudiant avec attention la couleur, le travail du pinceau, le sujet représenté, la manière de le traiter, et en le confrontant aux œuvres authentifiées avec certitude que les historiens d'art parviennent à assigner une peinture à un artiste précis.

REMBRANDT : DE MOINS EN MOINS D'ŒUVRES

Au début du XXe siècle, on attribuait près de mille peintures à Rembrandt ; aujourd'hui, les experts en comptent moins de trois cents. Une grande partie a été depuis redonnée à ses élèves. L'attribution sans « preuve » reste très aléatoire. Suivant l'opinion des experts, tel Rembrandt peut être de Van Hoogstraten, de Fabritius ou de Drost, pour ne nommer que quelques-uns des auteurs présumés.

Jeune Fille se tenant derrière une porte ouverte

Rembrandt ou Samuel Van Hoogstraten, 102 x 84 cm, 1645
Ce « Rembrandt » parmi les plus célèbres des collections américaines, signé « Rembrandt f. 1645 », est exposé à l'Art Institute de Chicago avec une étiquette portant son nom. Pourtant, lors de l'exposition consacrée au maître en 1991, il fut « attribué à Samuel Van Hoogstraten ». La raideur du modèle et la surface picturale lisse font penser à une œuvre de Van Hoogstraten.

Jeune Fille appuyée sur le rebord d'une fenêtre

Rembrandt, 81,5 x 66 cm, 1645
L'authenticité de cette peinture n'a pas été remise en question : elle est bien de Rembrandt. La jeune fille joue avec son collier, le regard tourné vers le spectateur. C'est peut-être une variante de cette œuvre que Van Hoogstraten peignit (à gauche) alors qu'il était élève dans l'atelier de Rembrandt. Le maître a probablement supervisé le travail de son élève, ajouté quelques coups de pinceau et signé lui-même de son nom.

Regarder de près

La subtilité du rendu de l'ombre et le modelé des traits délicatement dessinés apparentent le visage de cette jeune fille à l'autoportrait que Van Hoogstraten peignit en 1645.

Portrait d'un vieillard et d'un jeune garçon

Tintoret ou Marietta Robusti, 103 x 83,5 cm, vers 1585
En 1920, on découvrit que cette œuvre célèbre, attribuée à Tintoret, était en réalité signée du monogramme de sa propre fille, Marietta Robusti. Mais les experts ne sont pas tous unanimes pour affirmer que le tableau est entièrement de la main de cette dernière. Marietta Robusti comptait parmi les meilleurs membres du grand atelier de son père. Et la douleur qu'éprouva Tintoret à sa mort prématurée fut telle que sa production déclina.

Joyeuse Compagnie

Judith Leyster, 68 x 55 cm, 1630
Lorsque cette œuvre fut achetée par le Louvre, en 1893, Frans Hals en était l'auteur présumé, mais la découverte d'un monogramme fit qu'on l'attribua à l'un de ses disciples : Judith Leyster. Un tel changement modifie la valeur d'un tableau, et le jugement esthétique qu'on porte sur lui. Un critique masculin écrivit alors qu'on pouvait « déceler la faiblesse d'une main féminine ». Ceci prouve combien notre jugement dépend de préjugés.

VRAI OU FAUX ?

En 1947, le monde de l'art découvrit avec stupeur que *Les Pèlerins d'Emmaüs*, considéré comme l'une des œuvres les plus célèbres de Jan Vermeer, était un faux, peint dans les années trente. Le regard porté sur l'œuvre en fut bouleversé.

Faussaire, Van Meegeren mystifia le monde de l'art en lui fournissant ce qu'il cherchait : un Vermeer.

Le Christ dans la maison de Marthe et Marie

Jan Vermeer de Delft, 160 x 142 cm, 1654-1655
Il s'agit de la seule œuvre de Vermeer illustrant un thème biblique. Il l'aurait exécutée avant de choisir de se spécialiser dans la peinture de genre (p. 18 et 28).

Pour donner de la crédibilité à son tableau, Han Van Meegeren lui donna une facture influencée par le peintre Caravage.

Les Pèlerins d'Emmaüs

Han Van Meegeren, 129 x 117 cm, vers 1937
Authentifié comme un Vermeer, le tableau fut acheté cher par un musée de Rotterdam. Quand on découvrit la supercherie, le public tint pourtant à ce qu'il restât exposé mais sans étiquette.

Jusqu'ici nous nous sommes presque exclusivement concentrés sur l'art occidental, mais il ne faut pas oublier que chaque culture possède sa propre tradition artistique. Comme il nous est impossible de regarder une peinture de la Renaissance avec les yeux d'un homme du XVIᵉ siècle, nous n'aborderons jamais une peinture aborigène avec le regard d'un autochtone. L'art aborigène se constitue autour de ce qu'on appelle le « rêve ». Ce terme recouvre un état de réalité particulier, qui dépasserait le quotidien pour englober les lois sociales et spirituelles et les mythes fondés sur les actions d'ancêtres sacrés, tel ce kangourou qui apparaît dans la peinture ci-dessous. L'œil occidental peut la percevoir comme une attrayante peinture abstraite, mais en vérité les symboles graphiques content avec précision un « rêve ». Selon les lois aborigènes, seuls les membres de la famille de l'artiste ont le droit de connaître les secrets de la peinture et peuvent en discerner le sens. Pourtant nous pouvons nous aussi l'apprécier et la regarder avec plaisir, car il n'existe pas une seule manière de voir.

LE RÊVE DU KANGOUROU

Michael Nelson Tjakamarra, acrylique sur toile, 146 x 100 cm, 1992

Le terme « rêve » (voir ci-contre) renvoie aussi à certains mythes sur la création. Comme la plupart des œuvres aborigènes, celle-ci se réfère aux ancêtres spirituels de l'artiste. Cette peinture marie la graphie des motifs symboliques, transmis depuis des milliers d'années, à une technique moderne, celle de l'acrylique sur toile, qu'utilisent les artistes des déserts du centre de l'Australie depuis 1971. Les symboles possèdent une infinité de significations, et l'artiste peut expliquer sa peinture de différentes manières suivant le spectateur à qui il s'adresse. Son sens profond reste réservé à ses proches, pour le public il s'agira simplement d'un rêve du kangourou voyageant à travers le pays, de lieu sacré en lieu sacré.

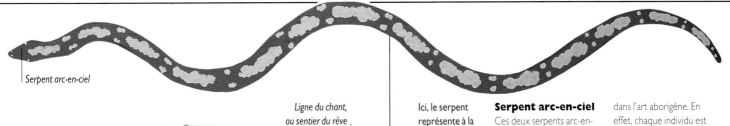

Serpent arc-en-ciel

*Ligne du chant,
ou sentier du rêve*

Ici, le serpent
représente à la
fois le serpent
arc-en-ciel et
l'un des totems
de Tjakamarra.

Serpent arc-en-ciel

Ces deux serpents arc-en-ciel (êtres surnaturels à l'origine de toute création) apparaissent fréquemment dans l'art aborigène. En effet, chaque individu est relié à un rêve personnel et à des créatures ancestrales comme ces serpents.

La ligne du chant

La ligne rouge continue qui traverse le tableau en ondulant indique le chemin que les ancêtres suivaient à travers le pays ; c'est « la ligne du chant », ou « le sentier du rêve ». Pour réaliser les bandes d'ocre et de blanc l'artiste utilise une technique originale : il trempe l'extrémité arrondie d'un bâton dans la peinture et l'applique verticalement sur la toile. Ce traitement fait contraste avec la zone centrale de l'œuvre, où les points, appliqués au pinceau, produisent un effet de flou.

Symbole des traces du kangourou

Significations variées

Les artistes du désert australien utilisent un nombre restreint d'images ou de symboles, aux significations multiples donnant lieu à différents niveaux d'interprétation. Le cercle concentrique est susceptible de figurer plusieurs lieux sacrés : il peut s'agir d'un campement, d'un trou dans un rocher, d'un point d'eau ou d'un feu. Il s'agit d'un symbole majeur car il indique le chemin qu'emprunte le pouvoir des ancêtres. Les courbes figurent des gens assis, les rayures représentent la pluie ou les éclairs, tandis que les fonds de couleur illustrent une vue aérienne schématique du pays de l'artiste.

Pistes et totems

Les traces des ancêtres kangourous se déplaçant à travers le désert sont signalées par une ligne bordée de deux flèches : celles-ci correspondent aux marques laissées par les pattes, le corps et la queue de l'animal. Le symbole en E représente la viande et renvoie à toutes sortes d'animaux chassés. Comme le serpent arc-en-ciel, le kangourou est un des « totems » de l'artiste.

Les peintures ne sont plus seulement l'objet de reproductions dans des livres, à la télévision ou sur des vidéos, elles ornent aussi des T-shirts, des sets de table, des carnets d'adresses et toutes sortes d'autres objets. Nombreux sont les artistes qui ont délibérément repris des œuvres célèbres : ce procédé situe leur œuvre dans un contexte culturel reconnu et lui ajoute d'autres niveaux de signification. Cependant, lorsqu'un tableau devient le motif d'un tissu, ou d'une publicité pour un fromage, sa nature particulière est transformée. On peut imaginer que l'effet de cette commercialisation serait une meilleure diffusion auprès d'un public plus large ; or, paradoxalement, un tel traitement rend la peinture si familière qu'il devient difficile de la regarder d'un œil neuf comme un véritable objet de contemplation.

L'assiette Rembrandt

La taille et la puissance considérable du chef-d'œuvre de Rembrandt, *La Ronde de nuit,* ont été réduites à la décoration d'une assiette.

Renaud et Armide

Angelica Kauffmann,
128 x 102,5 cm, 1772
Cette scène extraite d'un poème épique italien, *La Jérusalem délivrée,* du Tasse, montre le prince chrétien ensorcelé par l'enchanteresse Armide. Elle fut peinte par Angelica Kauffmann, l'une des plus grandes artistes du XIXᵉ siècle. Ce peintre néo-classique doit sa célébrité et sa popularité aux innombrables gravures qui furent réalisées d'après ses œuvres. Ses images furent même reproduites sur des objets d'art, boîtes à priser ou vases, et sur des meubles.

Inspiration décorative

L'image reproduite sur cette boîte du XIXᵉ siècle provient du tableau *Renaud et Armide,* de Kauffmann. Sir Joshua Reynolds, qui comptait parmi ses amis, défendait l'idée que les arts décoratifs devaient s'inspirer des beaux-arts. Seuls ceux-ci pouvaient leur apporter le style et l'élégance qui élèveraient leur niveau habituel.

Mona Lisa (La Joconde)

Léonard de Vinci,
77 x 53 cm, vers 1503-1506
Ce portrait de la main de Léonard représente une femme inconnue, qui fut peut-être l'épouse d'un riche marchand de Florence : Lisa Gherardini. C'est sans doute la peinture la plus connue et la plus reproduite de tout l'art occidental. Sa célébrité et son aspect familier empêchent qu'on l'aborde d'un œil neuf et qu'on apprécie pleinement son naturalisme subtil.

Réplique de L.H.O.O.Q.

Marcel Duchamp,
19 x 12 cm, 1941-1942
Marcel Duchamp fut l'un des artistes les plus influents du XXᵉ siècle. Il remit en cause les valeurs traditionnelles de l'art et du goût, et notamment l'idée de l'unicité de l'œuvre. Cette version de la *Joconde* de Léonard compte parmi ses œuvres les plus provocantes. Après avoir choisi la reproduction d'une peinture qui fait l'objet d'un respect quasi religieux, il lui ajouta une moustache et une barbiche, et la baptisa d'un titre obscène en cinq lettres.

L.H.O.O.Q.

Signature de Duchamp

LE BEL ART DE LA COMMERCIALISATION

Plutôt que de contempler les œuvres dans un musée, beaucoup de gens se contentent de jeter un simple coup d'œil à des reproductions sur cartes postales, cartes de vœux, couvertures de livres et autres objets décoratifs. Deux idées ont présidé à cette commercialisation de l'art : le besoin pour les musées de développer leurs revenus, et le désir de rendre l'art accessible à un public plus large. Si pour certains les tableaux sont réduits à une sorte d'emballage décoratif, pour d'autres ces objets les amèneront peut-être à découvrir les œuvres originales. Après la copie, l'œuvre véritable sera sans doute une révélation.

Robe exotique

Inspiré des peintures colorées que Gauguin avait réalisées à Tahiti, le tissu de cette robe confond plusieurs tableaux sur fond de fleurs tropicales. Le charme des œuvres de Gauguin provient pour une bonne part de leur exotisme harmonieux et de leur fonction décorative. Quand vous regardez cette robe, trouvez-vous qu'elle dépare l'original ou qu'elle lui rend hommage ?

Le Cheval blanc

Paul Gauguin,
140 x 91,5 cm, 1898
L'une des scènes reproduites sur la robe ci-contre est extraite de ce tableau réalisé dans une île des mers du Sud. Un cheval blanc, que les reflets d'une végétation tropicale teintent de vert, se désaltère dans le cours orange et bleu d'une rivière de montagne. L'utilisation des aplats de couleur, qui suppriment les ombres, facilite la transposition de cette peinture en un motif textile.

Recoller les morceaux

Ce puzzle n'est qu'une des nombreuses aventures de *La Charrette à foin*, de John Constable ; on la trouve même reproduite pour une publicité de fromage anglais ! Le travail patient que requiert le puzzle familiarise sans doute avec le tableau, mais regarder l'original, qui mesure près de deux mètres de long, est une tout autre expérience.

La Charrette à foin

John Constable, 130 x 185 cm, 1821
Constable peignit ce tableau dans son atelier de Londres après avoir effectué de nombreuses études sur la rivière Stour, non loin de chez Willy Lot, l'un de ses voisins. Rebaptisée aujourd'hui *La Charrette à foin*, la toile avait d'abord été titrée *Paysage : midi* par l'artiste. Cette composition à l'artificialité calculée est devenue une sorte d'icône pour la civilisation anglaise qui y trouve l'image d'un monde rural et paisible à jamais disparu.

GLOSSAIRE

Acrylique
Peinture synthétique qui a pris la place de la peinture à l'huile. Sèche rapidement, mais manque de transparence.

Aquarelle
Peinture dont les pigments, liés par de la gomme arabique, sont appliqués en lavis transparents.

Art abstrait
Art qui ne représente ni des personnages ni des objets.

Art académique
Art conforme aux principes dictés par les Académies.

Atelier
Lieu où travaillent l'artiste et ses assistants.

Attribut
Objet ou symbole permettant d'identifier un personnage ou un concept.

Attribution
Décision qui consiste à assigner un auteur hypothétique à une œuvre.

Chambre noire (Camera Oscura)
Appareil projetant une image sur un écran pour en dessiner le contour.

Clair-obscur (Chiaroscuro)
Effets des jeux de la lumière et de l'ombre, surtout lorsqu'ils sont contrastés.

Couleurs chaudes et froides
Les couleurs froides contiennent du bleu et suscitent un effet d'éloignement ; les couleurs chaudes contiennent du rouge et suscitent le rapprochement.

Couleurs complémentaires
Deux couleurs sont complémentaires si leur combinaison donne la lumière blanche. Rouge/vert, jaune/violet, bleu/orange sont les paires de base.

Craquelure
Fendillement dû au vieillissement ou au dessèchement.

Empâtement (Impasto)
Relief rendu par d'épaisses couches de peinture.

Fresque
Peinture murale. La vraie fresque, *buon fresco*, consiste à appliquer des pigments mélangés d'eau de chaux sur une surface de plâtre frais et humide. La fresque à sec, *fresco secco*, consiste à appliquer la peinture sur un plâtre déjà sec et susceptible de s'écailler.

Genre
Catégorie de la peinture. Par exemple : la peinture d'histoire.

Gouache
Aquarelle additionnée de blanc de plomb.

Médium
Matière avec laquelle une peinture est réalisée (peinture à l'huile, ou pastel par exemple). Désigne aussi la substance (huile, jaune d'œuf, eau) qui lie les pigments.

Peinture à l'huile
Peinture dont le médium est l'huile de lin, de noix ou de pavot.

Peinture de genre
Peinture représentant une scène de la vie quotidienne.

Peinture d'histoire
Peinture représentant une scène extraite de la Bible, de la littérature, de la mythologie ou de l'histoire.

Perspective
Art de rendre la perception de l'espace sur une surface plane. La perspective linéaire traduit le phénomène visuel selon lequel les objets rapetissent, et les lignes parallèles convergent avec la distance. La perspective aérienne reproduit l'effet optique d'altération des valeurs dans les lointains : les objets y sont plus bleus et plus pâles.

Point de fuite
En perspective linéaire, c'est le point sur la ligne d'horizon où convergent toutes les lignes du tableau.

Tondo :
L'Adoration des Mages, Botticelli

Prédelle
Rangée de peintures de petite taille placée sous un tableau d'autel.

Renaissance
Période comprise entre le XIVe et le XVIe siècle en Europe marquée par le retour de valeurs humanistes et classiques.

Tempera
Technique de peinture utilisant l'œuf pour lier les pigments.

Ton
Désigne le caractère clair ou foncé d'une couleur sur une échelle allant du noir au blanc.

Tondo
Tableau circulaire

Trompe-l'œil
Peinture ou détail qui tente de faire croire à la réalité de l'objet peint.

LES DIEUX ET LES DÉESSES

Les Romains adoptèrent les divinités de la Grèce ancienne et leur donnèrent des noms latins (les noms grecs sont donnés entre parenthèses).

Apollon (Apollon)
Dieu Soleil. Ce jeune homme coiffé d'une couronne de laurier conduit un char à quatre chevaux.

Bacchus (Dionysos)
Dieu du vin. Il est représenté nu, couronné de raisins et de feuilles de vigne.

Cupidon (Éros)
Dieu de l'Amour. Ce garçon ailé, aux yeux parfois bandés, porte un arc et des flèches.

Diane (Artémis)
Déesse de la chasse. Cette vierge chasseresse est accompagnée par un cerf ou des chiens.

Junon (Héra)
Femme de Jupiter, protectrice de la maternité. Un paon l'accompagne.

Jupiter (Zeus)
Dieu suprême. Ses attributs sont l'aigle et le tonnerre.

Mars (Arès)
Dieu de la guerre. Il est souvent montré en compagnie de Vénus.

Mercure (Hermès)
Messager des dieux. Il porte des sandales ailées, un chapeau et un caducée.

Minerve (Pallas Athéna)
Déesse de la sagesse. Elle porte une armure. Son attribut est la chouette.

Neptune (Poséidon)
Dieu de la mer. Armé d'un trident, il se déplace sur un char.

Saturne (Cronos)
Dieu de l'agriculture et du temps, il porte une faux.

Vénus (Aphrodite)
Déesse de l'amour. Ses attributs sont la colombe ou le cygne.

Vulcain (Hephaïstos)
Dieu du feu. Il est représenté comme un forgeron infirme.

Allégorie avec Vénus et Cupidon (détail), Bronzino

LES SYMBOLES

Voici une liste qui permet de reconnaître quelques symboles présents dans l'art occidental.

Agneau
Christ dans son rôle sacrificiel. Innocence

Arbre
Union de la vie terrestre et divine ; croix ; renaissance

Bougie
Brièveté de la vie. Dieu qui voit tout.

Bulles
Brièveté de la vie

Cerise
Paradis

Les Pèlerins d'Emmaüs (détail), Caravage

Chien
Luxure. Dans un portrait : fidélité

Colombe
Saint-Esprit, paix. Attribut de Vénus

Coquille Saint-Jacques
Signe du pèlerin

Courge
Attribut du pèlerin ; résurrection

Crâne
Mort

Drapeau
Croix rouge : résurrection

Grenade
Chasteté, autorité de l'Église

Horloge
Temps qui passe.

Jardin
Entouré de murs, il symbolise la virginité de Marie.

Lapin/Lièvre
Luxure

Lierre
Vie éternelle

Lis
Pureté

Luth
Si corde cassée : discorde, mort

Nœud
Nœuds de l'amour

Œuf
Création, résurrection. Œuf d'autruche : naissance de la Vierge

Oiseau
Âme humaine

Palmier, branche de
Victoire. Signe d'un martyre

Paon
Immortalité et résurrection

Papillon
Âme humaine

Pélican
Christ dans son rôle sacrificiel

Poisson
Christ ; chrétienté

Pomme
Péché originel

Raisin
Art chrétien : sang du Christ

Roue
Fortune ; destin

Serpent
Démon ; péché originel ; sexe ; force de la vie

Singe
Vice et luxure. Représente aussi la peinture et la sculpture.

LES SAINTS

Voici une liste des principaux saints représentés dans l'art occidental.

Saint André
Apôtre, patron de l'Écosse et de la Grèce, figure en vieillard à barbe blanche, portant une croix en X.

Sainte Anne
Mère de la Vierge Marie ; porte un manteau vert (symbole de printemps, de renaissance et d'immortalité) sur une robe rouge (symbole de l'amour).

Sainte Catherine d'Alexandrie
Ses attributs : la roue (de son supplice), une palme (signe du martyre), et un anneau

(en référence à son mariage mystique avec le Christ).

Saint François d'Assise
Reconnaissable à sa bure, à sa ceinture à trois nœuds (symboles des vœux de pauvreté, de chasteté et d'obéissance) et à ses stigmates.

Saint Georges
Saint guerrier et martyr, en armure sur un cheval blanc, vainqueur du dragon. Son bouclier et son drapeau sont frappés d'une croix.

Saint Jean-Baptiste
Messager du Christ, habillé de peaux de bêtes et tenant souvent une croix de roseau.

Saint Jean l'Évangéliste
L'un des quatre apôtres Évangélistes. Attributs : un livre ou un rouleau de parchemins, un calice avec un serpent (il survécut au poison), et un chaudron (il sortit indemne

Saint Georges et le dragon, Le Tintoret

d'un chaudron rempli d'eau bouillante où il avait été jeté).

Saint Jérôme
Ses attributs : un chapeau rouge de cardinal et un lion.

Saint Joseph
Mari de la Vierge Marie. Ses attributs : le lys (chasteté), les outils de charpentier et le bâton en fleur.

Saint Jude
Apôtre et martyr, patron des causes perdues ; ses attributs : une crosse et une hallebarde qui rappelle comment il mourut.

Saint Luc
Évangéliste, patron des peintres ; son attribut : le bœuf.

Saint Marc
Évangéliste, accompagné d'un lion ailé.

Saint Matthieu
Apôtre et auteur du premier évangile. Figure avec un personnage ailé qui lui dicte ce qu'il écrit.

Saint Michel
Archange souvent en armure, accompagné de Satan sous forme

humaine, ou d'un dragon, qu'il s'apprête à terrasser.

Saint Pierre martyr
Frère dominicain et martyr. Il porte un habit de moine, une épée et un couteau, ou une hachette, planté dans le crâne.

Saint Sébastien
Saint et martyr, représenté nu et percé de flèches.

Saint Thomas
Attributs de l'apôtre incrédule : l'équerre ou la règle de bâtisseur (patron des architectes) ; une ceinture (envoyée par la Vierge lui prouvant qu'elle était aux cieux) ; une lance ou un poignard (instruments de son martyre).

Saint Thomas Becket
Archevêque de Canterbury et martyr ; porte ses habits épiscopaux ou une chasuble rouge. Il peut avoir une épée enfoncée dans le crâne.

TABLE DES ŒUVRES PRÉSENTÉES

Cette liste indique le lieu d'exposition respectif des œuvres présentées dans cet ouvrage, quand celles-ci sont accessibles au public. Sauf indication contraire, toutes les peintures sont des huiles sur toile.

Abréviations : h : haut, b : bas ; c : centre ; g : gauche ; d : droite ; KM : Kunsthistorisches Museum, Vienne ; MO : Musée d'Orsay, Paris ; NG : National Gallery, London ; NGW : National Gallery of Art, Washington ; TG : Tate Gallery, Londres ; UF : Uffizi (Les Offices), Florence ; V&A : Victoria and Albert Museum, Londres.

6 bd : *Le Retable Montefeltro*, Piero della Francesca, Brera, Milan.
7 bg : *Battista Sforza et Federico da Montefeltro*, Piero della Francesca, UF.
8 bg : *L'Ange Gabriel*, G. del Ponte ; bd : *L'Adoration des Mages*, Botticelli, NG.
8-9 h : *L'Enterrement à Ornans*, Courbet, MO.
9 bg : *Alice Hilliard*, Hilliard, V&A ; bd : *Ipomée sur noir (Pétunia noir et ipomée blanche III)*, O'Keeffe, The Cleveland Museum of Art.
10 hd : *Saint Georges et le dragon*, Le Tintoret, NG ; bg : *Joachim chassé du Temple*, Giotto, Chapelle Scrovegni, Padoue.
11 hg : *L'Embarquement de la reine de Saba*, Lorrain, NG ; hd : *La Mort de Marat*, David, Musées Royaux des Beaux-Arts de Belgique, Bruxelles ; bg : *Bleu et argent, paravent avec le vieux pont de Battersea*, Whistler, Hunterian Art Gallery, Université de Glasgow.
12 cd : *Bacchus et Ariane*, Titien, NG.
13 hg : *Paysage jaune Pont-Aven*,

Bleu et argent, paravent avec le vieux pont de Battersea, Whistler

O'Connor, TG ; hd : *Madame St. John Hutchinson*, Bell, cg : *Jeune Femme au chat noir*, John, TG.
14 bg : *Composition avec rouge, jaune et bleu*, Mondrian, TG.
15 h : *L'Adoration du Veau d'or*, Poussin, NG.
16 hd : *Le Martyre de saint Sébastien*, Pollaiolo, NG ; bg : *Les Chasseurs dans la neige*, Bruegel, KM.
17 hg : *Le Château de Steen*, Rubens, NG ; cg : *Enfant portant des grenades*, de Hooch, Wallace Collection, Londres ; bd : *Navire approchant de la côte*, Turner, TG.
18 hg : *La Vierge et l'Enfant avec saint Jérôme et saint Sébastien*, Crivelli, NG ; bg : *La Dame debout à l'épinette*, Vermeer de Delft, NG.

19 hg : *Clarinette et bouteille de rhum sur une cheminée*, Braque, TG ; hd : *Les Promenades d'Euclide*, Magritte, Minneapolis Institute of Art ; b : *Cosaques*, Kandinsky, TG.
20 hd : *Le Christ aux outrages*, Fra Angelico, Museo di San Marco, Florence ; bg : *La Cène*, Léonard de Vinci, Sta. Maria delle Grazie, Milan.
21 hg : *Allégorie avec Vénus et le Temps*, Tiepolo ; bd : *L'Incrédulité de saint Thomas*, Cima da Conegliano, NG.
22 hd : *Vierge à l'Enfant*, Duccio di Buoninsegna, NG.
23 hd : *Portrait d'homme*, Antonello de Messine, NG ; cg : *Promenade matinale*, Gainsborough, NG ; bd : *Femme et enfant dans un jardin à Bougival*, Morisot, National Museum of Wales.
24 bg : *Coucher de soleil sur le lac de Lucerne (étude)*, Turner.
25 hg : *Le porteur de narguilé*, Lewis, Cecil Higgins Art Gallery, Bedford, Grande-Bretagne.
26 hg : *L'échoppe du marchand de volaille*, Dou, NG ; cg : *Le Cavalier riant*, Hals, Wallace Collection, Londres ; bd : *Paysage jaune*, O'Connor, TG.
27 bg : *Homme au turban*, Van Eyck, NG ; hd, bg, bd : *l'Incrédulité de saint Thomas* (détails), Cima da Conegliano, NG.
28 bg : *Le Serment des Horaces*, David, Louvre, Paris.
28-29 bg : *Guernica*, Picasso, Cason del Buen Retiro, Madrid.
29 hg : *Portrait d'une dame en jaune*, Baldovinetti, NG ; hd : *L'Échoppe du marchand de volaille*, Dou, NG ; cd : *Gelée blanche*, Pissarro, MO ; bd : *La Brioche*, Chardin, Louvre, Paris.
30 cg : *Saint François devant le sultan*, Sassetta, NG ; cd : *Saint François et le loup de Gubbio*, Sassetta, NG ; bg : *Le Bienheureux Agostino Novello et quatre de ses miracles*, Martini, Museo dell'Opera Metropolitana, Sienne.
31 hg : *La Chute d'Icare*, Bruegel, Musées Royaux des Beaux-Arts de Belgique, Bruxelles ; hd : *La Résurrection des soldats*, Spencer, Sandham Memorial Chapel, Burghclere, Hants, Grande-Bretagne ; b : *Whaam !*, Roy Lichtenstein, TG.

32 c : *Les Pèlerins d'Emmaüs*, Caravage, NG.
33 hg : *Judith et Holopherne*, Gentileschi, UF.
34-35 *Le Mariage à la mode*, Hogarth, NG.
36 hd : *Crucifixion avec la Vierge et saint Jean*, Le Pérugin, NGW ; bg : *Petite Crucifixion*, Grünewald, NGW.
37 h : *La Création d'Adam*, Michel-Ange, Vatican, Rome ; bd : *Adam*, Newman, TG.
38-39 : *La Vierge à l'Enfant avec saint Jérôme et saint Sébastien*, Crivelli, NG.
40 d : *Jupiter et Io*, Le Corrège, KM ; bg : *Apollon et Daphné*, Pollaiolo, NG ; bd : *Paysage avec Écho et Narcisse*, Lorrain, NG.

Judith et Holopherne, Gentileschi

41 h : *Les Métamorphoses de Narcisse*, Dali, TG ; bg : *L'Enlèvement d'Hélène*, École de Fra Angelico, NG ; bd : *Ulysse tournant Polyphème en dérision*, Turner, NG.
42 cd : *Pallas Athéna chassant les Vices du Jardin de la Vertu*, Mantegna, Louvre, Paris.
43 hd : *Allégorie avec Vénus et l'Amour*, Bronzino, NG.
44 hd : *La Miniature Gresley*, Hilliard, V&A ; hg : *Portrait équestre de Charles Ier*, Van Dyck, NG ; bd : *Le Pape Innocent X*, Vélázquez, Galleria Doria Pamphili, Rome.
45 hd : *Autoportrait*, Rembrandt, Kenwood House, Londres ; bc : *Général Sir Banastre Tarleton*, Reynolds, NG ; bd : *Jeune Fille de profil*, Gwen John, National Museum of Wales.
46 bd : *Anne, comtesse d'Albermarle*, Reynolds, NG.
47 h : *Portrait de Monsieur et Madame Clark*

et Percy, Hockney, TG.
48 hd : *Crucifix*, Manière de Segna, NG ; bg : *L'Amour se plaignant à Vénus*, Cranach, NG ; bd : *Le Jugement de Pâris*, Rubens, NG.
49 c : *La Grande Odalisque*, Ingres, Louvre, Paris ; b : *Nu allongé au collier*, Picasso, TG.
50 cd : *Paysage avec un château en ruine et une église*, Ruisdael, NG ; bd : *Le Bois « Cornard »*, Gainsborough, NG.
51 hd : *Vue de Dedham à partir de Langham*, Constable, NG ; bg : *La Montagne Sainte-Victoire*, Cézanne, Philadelphia Museum of Art ; bg : *La Croix dans les montagnes*, Friedrich, Gemäldegalerie, Dresden.
52 hd : *Fleurs dans un vase de terre cuite*, Van Huysum, NG ; bd : *Nature morte : allégorie des vanités humaines*, Steenwyck, NG.
53 h : *Pommes et oranges*, Cézanne, MO ; bd : *Nature morte au poisson rouge*, Matisse, Musée Pouchkine, Moscou.
54 bg : *L'Abbé Scaglia adorant la Vierge et l'Enfant*, Van Dyck, NG ; hd : *Homme au turban*, Van Eyck, NG.
55 bg : *Le Baptême du Christ*, Verrocchio, UF ; bc : *Portrait de femme*, attribué à Campin, NG.
56 hd : *Jeune Fille appuyée sur le rebord d'une fenêtre*, Rembrandt, Dulwich Art Gallery, Londres ; bc : *Jeune Fille se tenant derrière une porte ouverte*, Rembrandt, The Art Institute of Chicago.
57 hd : *Portrait d'un vieillard et d'un jeune garçon*, Tintoret ou Robusti, KM ; hd : *Joyeuse Compagnie*, Leyster, Louvre, Paris ; bc : *Le Christ dans la maison de Marthe et Marie*, National Gallery of Scotland, Édimbourg ; bd : *Les Pèlerins d'Emmaüs*, Van Meegeren, Museum Boymans Van Beuningen, Rotterdam.
60 hd : *La Joconde*, Léonard de Vinci, Louvre, Paris ; c : *Renaud et Armide*, Kauffmann, Kenwood House, Londres ; bd : *Réplique de L.H.O.O.Q.*, Duchamp, Philadelphia Museum of Art.
61 hd : *Le Cheval blanc*, Gauguin, MO ; bd : *La Charrette à foin*, Constable, NG.

REMERCIEMENTS

Dorling Kindersley tient à remercier :
Jan Green et Erica Langmuir de la National Gallery, Londres ; Philip Steadman et Frank Brown pour la simulation par ordinateur p. 18, Jo Walton, Job Rabkin et Hilary Bird.

Remerciements de l'auteur :
Comme d'habitude, merci à Ian Chilvers pour l'immense richesse de sa bibliothèque. Merci aussi à Robin Simon, à la fois pour ses cours inspirés autrefois et pour son aide au moment de faire le plan de ce livre. J'aimerais remercier aussi Michael Nelson Tjakamarra et Corbally Stourton Contemporary Art Ltd pour leur aide. Je remercie aussi Sue Mutimear pour ses conseils et toute l'équipe éditoriale de Eyewitness Art, tout particulièrement Gwen Edmonds, Phil Hunt, Mark Johnson Davies et Peter Jones. Enfin, j'aimerais remercier David Edgar, avec qui j'aime regarder les tableaux ; je lui dédie ce livre avec mon amour.

ICONOGRAPHIE

Tous les efforts ont été entrepris pour retrouver les propriétaires des copyrights. Nous nous excusons pour tout oubli involontaire. Nous effectuerons toute modification éventuelle dans nos prochaines éditions.

h : haut ; b : bas ; c : centre ; d : droit ; g : gauche

Abréviations :
BAL : Bridgeman Art Library, Londres ; HA : Hunterian Art Gallery, University of Glasgow ; KM : Kunsthistorisches Museum, Vienne ; ML : Musée du Louvre, Paris ; MO : Musée d'Orsay, Paris ; NG : Reproduced by courtesy of the Trustees, The National Gallery, Londres ; RMN : Réunion des Musées Nationaux, Paris ; SC : Scala ; TG : Tate Gallery, Londres ; UF : Uffizi Gallery, Florence ; WA : Reproduced by permission of the Trustees, The Wallace Collection, Londres ; V&A : Courtesy of the Board of Trustees of the Victoria & Albert Museum, Londres

p. 1 : NG p. 2 : hg, hd, c (détail), cd, bg, bc : NG ; bd : Philadelphia Museum of Art : George W. Elkins Collection p. 3 : cg : V&A ; c, cd, bd : NG ; bg : KM p. 4 : h, cg (détail) : NG ; hd : MO/RMN ; bd, b, cd (détail) : NG p. 5 : TG p. 6 : bg : d'après Millard Meiss pp. 6-7 : bg, h (détails) : Brera Gallery, Milan/SC p. 7 : h : UF/SC p. 8 : bd : NG pp. 8-9 : MO/RMN p. 9 : bg : V&A ; bd : The Cleveland Museum of Art, Bequest of Leonard C. Hanna, Jr., 58.42/ © 1993 The Georgia O'Keeffe Foundation/ARS, New York p. 10 : hd, bd : NG ; cg : Chapelle

de l'Arena, Padoue/SC p. 11 : hg : NG ; hd : Musées Royaux des Beaux-Arts de Belgique, Bruxelles/ Giraudol/ BAL ; bg : © HA, Birnie Philip Bequest ; bd : Trustees of the British Museum, Londres p. 12 : NG p. 13 : hg, cg : TG ; hd, bd (détail) : TG/ © Angelica Garnett ; cg : Courtesy of The Estate of Morris Louis et the André Emmerich Gallery, New York p. 14 : bg : TG p. 15 : NG p. 16 : hd, c : NG ; bg, bd : KM p. 17 : hg, cd (détail) : NG ; WA/ BAL ; bd : TG p. 18 : hg (détail) : La Vierge à l'Enfant avec saint Jérôme et saint Sébastien, Crivelli, NG ; bg : NG p. 19 : b : TG/ © ADAGP, Paris et DACS, Londres, 1994 ; hd : The Minneapolis Institute of Arts, The William Hood Dunwoody Fund/ © ADAGP, Paris et DACS, Londres 1994 p. 20 : hd, cg (détails) : Museo di San Marco, Florence/ SC ; cd : S. Marco, Florence/ SC ; bg : Sta. Maria delle Grazie, Milan p. 21 : hg, bc, bd : NG ; hd : Courtauld Institute Galleries, Londres p. 22 : hd, bd (détail) : NG ; cg : Chapelle de l'Arena, Padoue/ SC p. 23 : hd, hg (détail), cg, bg (détail) : NG ; bd : National Museum of Wales p. 24 : hd : © HA, Birnie Philip Gift ; cg : TG ; bd : The Royal Collection © 1994 Her Majesty Queen Elizabeth II p. 25 : hg, hd (détail) : The Trustees, The Cecil Higgins Art Gallery, Bedford ; bg : V&A/BAL ; bd, cd (détail) : MO p. 26 : hd (détail) :

L'Échoppe du marchand de volaille, Gerard Dou, NG ; cg (détail) : Le Cavalier riant, Frans Hals, WA ; bd (détail) : Yellow Landscape, Roderic O'Conor, TG p. 27 : bg (détail) : Aleph, Morris Louis, Courtesy of The Estate of Morris Louis et the André Emmerich Gallery, New York ; hd, bd (détail) : L'Incrédulité de saint Thomas, Cima, NG ; bg (détail) : L'Homme au turban, Van Eyck, NG p. 28 : hd : Royal Academy of Arts Library, Londres ; bg : ML pp. 28-29 : b : Cason del Buen Retiro, Madrid/ Artothek/ © DACS 1994 p. 29 : hg, hd : NG ; cd : MO/ RMN ; bd : ML/ RMN p. 30 : cg, cd, hd (détail) : NG ; bg : Museo dell'Opera Metropolitana, Sienne/ SC p. 31 : hg, hd (détail) : Musées Royaux des Beaux-Arts de Belgique, Bruxelles/ BAL ; cg : Chapelle des Scrovegni, Padoue/ SC ; cd : Sandham Memorial Chapel, Hampshire/ National Trust Photographic Library, Photo : A. C. Cooper/ © Estate of Stanley Spencer 1994, All Rights Reserved DACS ; b : TG/ © Roy Lichtenstein/ DACS 1994 p. 32 : c, h, bd (détails) : NG p. 33 : hg, hd, cd, bc (détails) UF/ SC pp. 34-35 : NG p. 36 : hd, c (détail) : © 1994 National Gallery of Art, Washington, Andrew W. Mellon Collection ; bg, bd (détail) : © 1994 National Gallery of Art, Washington, Samuel H. Kress Collection p. 37 : h, cg (détail) : © Nippon Television Network

Corporation 1994 ; bd : TG/ Reproduced courtesy of Annalee Newman insofar as her rights are concerned pp. 38-39 : NG p. 40 : hg : By permission of the British Library ; b : KM ; bg, bd : NG p. 41 : h : TG/ © DEMART PRO ARTE BV/ DACS 1994 ; bg, bd : NG p. 42 : hd (détail) Allégorie avec Vénus et Cupidon, Bronzino, NG ; cd, bg, bd (détails) : ML/ RMN p. 43 : NG p. 44 : hd : V&A ; bg : NG ; bd : Galleria Doria Pamphilj, Rome/ SC p. 45 : cg : WA ; hd : Kenwood House/ © English Heritage ; bg : Ny Carlsberg Glyptotek, Copenhague ; bd : National Museum of Wales p. 46 : hd, bg : V&A ; bd : NG p. 47 : h : TG/ © David Hockney 1970-71 ; bg, bc, bd : TG Archive, Londres p. 48 : hg, bg, bd : NG p. 49 : hg : The Royal Collection © 1994 Her Majesty Queen Elizabeth II ; NG ; c : ML/ RMN ; b : TG/ © DACS 1994 p. 50 : hc (détail) : Apollon et Daphné, Pollaiolo, NG ; hd (détail) : Le Martyr de saint Sébastien, Pollaiolo, NG ; cd, bg : NG p. 51 : hd : TG ; cg : Archiv für Kunst und Geschichte, Berlin ; cd : Philadelphia Museum of Art, George W. Elkins Collection p. 52 : cg (détail) : Les Pèlerins d'Emmaüs, Caravage, NG ; hd, c (détail), bd, bg (détail) : NG p. 53 : h, bg : MO/ Giraudon/ BAL ; bd : Musée Pouchkine, Moscou/ Artothek/ © Succession H. Matisse/ DACS

1994 p. 54 : hg (détail) : La Vierge à l'Enfant avec saint Jérôme et saint Sébastien, Crivelli, hd, bg, b, NG p. 55 : hg, cd (détail) : UF/ SC ; bc : NG ; bd (détail) : Cupidon se plaignant à Vénus, Cranach, NG p. 56 : hd : Dulwich Art Gallery/ BAL ; bc, bd (détail) : The Art Institute of Chicago/ Visual Arts Library, Londres p. 57 : hg : KM ; hd : ML/ RMN ; bc : National Gallery of Scotland, Edimbourg ; bd : Museum Boymans Van Beuningen, Rotterdam pp. 58-59 : Corbally Stourton Contemporary Art Ltd p. 60 : hd : ML ; c : Kenwood House/ © English Heritage ; bg : V&A ; bd : Philadelphia Museum of Art, Louise and Walter Arensberg Collection/ © ADAGP, Paris et DACS, Londres 1994 p. 61 : hd : MO ; bg : NG p. 62 : hc : NG ; bd (détail) : Les Pèlerins d'Emmaüs, Caravage, NG ; bg : Allégorie avec Vénus et Cupidon, Bronzino, NG p. 63 : hc : NG ; bg : © HA ; bd : UF/ SC

Photographies complémentaires :
Philippe Sebert : p. 25 : bd ; p. 28 : bg ; p. 58 : hd ; p. 60 : hd
Alison Harris : p. 51 : bd ; p. 61 : hd

Prêt de matériel :
Paperchase, Tottenham Court Road, London : p. 14 : hd
Hamleys, London : p. 14 : cd
Arthur Middleton : p. 22 : bg